Charles Baudelaire

LES FLEURS DU MAL

Véronique BARTOLI-ANGLARD
AGRÉGÉE DE LETTRES MODERNES

1, rue de Rome - 93561 Rosny Cedex

ISBN 2 84291 145 8

AVANT-PROPOS

Les Fleurs du mal ou l'esthétique de la modernité

Charles **Baudelaire incarne le véritable créateur moderne** car, par un effet de sa volonté, il s'impose la conscience lucide d'une douloureuse démystification. Certes, **il souffre de ne plus pouvoir croire à l'avenir ou au progrès humain mais il refuse de vivre dans l'illusion**. Pour lui, la littérature représente la patrie des âmes exilées dans un monde condamné à la médiocrité arrogante et suffisante des nantis et des bien-pensants. Le poète répond à l'indifférence de ses contemporains en plaçant toujours plus haut les exigences de sa quête esthétique. En effet, seule **la recherche de la beauté peut donner un sens à la vie**, une direction comme une signification. **L'art constitue la spiritualité des temps modernes**. Tendu vers un idéal par définition inaccessible, Baudelaire trouve son énergie créatrice dans la dynamique engendrée par les couples complémentaires formés par la vertu et le vice. Poète tragique, il se garde bien de concilier les termes de ces contradictions qui le torturent mais l'inspirent. Donc, **sa morale tient à la rigueur de sa démarche créatrice** et non à ses sujets.

Dans notre analyse, nous avons voulu montrer que *Les Fleurs du mal* **dépassent la distinction réductrice entre le bien et le mal** : le spleen ne prend sens que dans son rapport à l'idéal. Baudelaire cultive la dualité et ouvre la voie à la poésie moderne en alliant une quête ésotérique avec une maîtrise parfaite des techniques rhétoriques et une réflexion critique sur le principe de l'inspiration poétique.

Nous avons souligné le refus d'une sérénité sans effet créateur : le poète maudit accepte, recherche, la souffrance pour respecter ses propres exigences et affiner sa sensibilité. Il inspire **deux lignées** de poètes modernes : **Valéry**, qui conçoit la poésie comme une ascèse menant à la constitution d'une œuvre purement esthétique, mais aussi **Rimbaud** le voyant et les surréalistes à la recherche d'une unité du visible et de l'invisible.

L'auteur

SOMMAIRE

I

REPÈRES

1 - LA PROBLÉMATIQUE DE L'ŒUVRE : LA QUÊTE DE SOI DANS UN MONDE PRIVÉ DE VALEURS

Esprit aux curiosités multiples, Baudelaire accorde une attention critique aux grands mouvements littéraires et idéologiques de son époque. Il a orienté ses investigations vers **le romantisme, l'illuminisme, le fouriérisme**. Mais, toujours ambiguë, son adhésion à une idée lui inspire de l'intérêt pour son contraire. Affligé de la tragique **impuissance à vivre les choses au premier degré**, le poète prend un constant recul critique vis-à-vis des événements et des idées. Il célèbre puis dénigre le romantisme ; il prend aussi ses distances vis-à-vis du Parnasse, l'école de l'Art pour l'Art. Mais il restera fidèle à la **démarche rigoureuse** qui fonde ce mouvement littéraire.

En effet, il ne se contente pas d'émettre des critiques négatives : il refuse d'identifier l'art à un ensemble de concepts abstraits. **Aucune théorie ne permet de créer un poème**; seule la conscience de ses insuffisances et un labeur acharné pour lutter contre ses limites rendent possible la construction d'un système d'échos qui suggère l'intuition de l'unité. L'art se nourrit de tous les systèmes mais se situe au-delà de tous les systèmes : il a pour vocation de **superposer les suggestions pour constituer une unité nouvelle**. De même, aucune thématique ne saurait conférer sa force à un poème : **ce n'est pas le sujet qui donne un sens à l'œuvre mais l'énergie qu'elle communique**. Ainsi, en évoquant le mal de vivre, Baudelaire ne se limite pas à déplorer son sort : il l'utilise et crée une œuvre qui lui survit. Il n'avance pas à reculons dans la mesure où il transforme le mal et la douleur en principes créateurs.

▪ Le refus de la médiocratie bourgeoise

Avec l'avènement de Louis-Philippe, en 1830, s'instaure le règne de la bourgeoisie qui assoit davantage encore son pouvoir après l'éviction de Charles X. Elle s'enrichit désormais sans vergogne. Pour Balzac, Stendhal et Flaubert, trois auteurs admirés de Baudelaire, **le « bourgeois » incarne la « bêtise » moderne**, autrement dit, l'impuissance à penser par soi-même, à se connaître et à opérer une réflexion critique. Mais il possède la puissance insolente, brute et violente, de l'argent.

L'auteur des *Fleurs du mal* commence, lui aussi, par manifester un certain intérêt pour la philosophie, la politique et la théologie. Mais la révolution de février 1848 et les horreurs de la répression lui apprennent que l'action concrète n'est plus possible. Il n'adhère pas à l'idéologie du « progrès » héritée des Lumières et reprise par ses contemporains. Il voudrait que l'homme sache se donner des **valeurs morales et le sens de l'élévation spirituelle** : « Qu'est-ce que le progrès indéfini ? qu'est-ce qu'une société qui n'est pas aristocratique ? ce n'est pas une société, ce me semble »

(*Correspondance*, lettre à Alphonse Toussenel, 21 janvier 1856). Pour lui, l'homme moderne doit donner un sens à sa vie en cherchant à se dépasser : la véritable noblesse relève de cette **aristocratie de l'esprit** que forment les êtres capables de sacrifier leurs intérêts matériels à la recherche de leur propre idéal et à la réalisation de leurs passions. Adepte du dandysme, Baudelaire assimile **la pratique démocratique à la tyrannie de l'opinion publique** qui veut imposer la suppression des différences. Il veut préserver le sens de l'idéal esthétique, de l'absolu métaphysique, donc de la valeur morale et de l'élite intellectuelle. Mais, comme bien des moralistes, il n'imagine pas vraiment possible (ni nécessaire) de changer le monde.

Pour lui, cependant, le poète doit remplir une mission : **rendre ses contemporains lucides quant à la puissance du mal** qu'ils recèlent en eux-mêmes – sur leur aptitude à devenir leur propre ennemi.

■ Le romantisme spiritualiste selon Baudelaire

Formé à une époque où domine le romantisme, Baudelaire va se dégager de cette influence pour ouvrir la voie à la poésie moderne. « Plaçons-nous, dit Valéry, dans la situation d'un jeune homme qui arrive en 1840 à l'âge d'écrire. Il est nourri de ceux que son instinct lui commande impérieusement d'abolir » – « Situation de Baudelaire », dans *Variété II*. Courant littéraire européen qui exprime une crise de conscience générale et revêt des expressions très variées, le mouvement romantique commence à se dessiner en France vers 1815 ; il prend forme à partir de 1820, date où paraissent *Les Méditations poétiques* de Lamartine et les *Odes* de Hugo ; ce dernier lui confère une dimension théorique dans la préface de son drame, *Cromwell* (1827).

L'inspiration romantique paraît s'étioler dès 1840, moment où se formulent d'autres interrogations. Comme Flaubert, Baudelaire appartient à la **troisième génération romantique** qui se caractérise par une démystification des anciennes croyances et, en même temps, par la nostalgie de l'idéal. Épris d'absolu, il critique le romantisme quand ce mouvement commence à se figer, à devenir une mode artificielle se prêtant à l'exploitation de formules littéraires stéréotypées. Dans son *Salon de 1846*, Baudelaire avance sa propre définition du romantisme. « Pour moi, le romantisme est **l'expression la plus récente, la plus actuelle du beau**. » Il situe ce mouvement dans la chronologie historique – ce qui suppose **le caractère historique, donc divers, de l'expression du beau**. Cependant, le romantisme lui semble digne d'intérêt dans la mesure où il acquiert une **dimension spirituelle mais aussi générale, dans le domaine artistique**.

▪ L'interrogation métaphysique et la pratique esthétique

Poursuivant sans cesse sa réflexion sur le sens de son art, Baudelaire fait de **la recherche de l'unité le devoir de l'artiste** moderne. Cette quête esthétique repose sur une conception de la nature humaine. À l'origine de l'inspiration se trouve, en effet, la dynamique engendrée par **le principe de dualité** propre à l'homme, doté d'une âme immatérielle et d'une enveloppe charnelle éphémère. L'œuvre naît de la volonté de progresser dans la conscience de ses contradictions mais aussi de la prise de conscience de leur impossible annulation. Seule demeure possible l'intuition d'une forme d'harmonie. Nostalgique d'un paradis perdu où l'homme évoluerait dans la transparence, dans l'unité avec son Créateur, le poète se donne pour **projets de**

rendre visible l'obscurité où il se trouve plongé et de suggérer l'unité au-delà de l'opacité apparente.

Par quels **moyens** atteindre ce but ? Critique d'art, ami de peintres comme Delacroix et de caricaturistes comme Daumier, remarquable dessinateur, Baudelaire établit une **analogie entre le visible et l'invisible**, entre la psychologie de l'artiste ou du spectateur et les formes, les couleurs, la composition des tableaux. Ainsi s'expliquent **ses affinités avec des écrivains comme l'Américain Poe et l'Allemand Hoffmann**, qui croyaient à l'existence de puissances mystérieuses peuplant le monde invisible des idées.

▪ La tradition ésotérique

Ainsi, l'esthétique de Baudelaire repose davantage sur une pratique que sur une philosophie ou une morale au sens strict de ces termes. Sa théorie des correspondances ou des synesthésies (*cf.* Étude du texte, 3) découle de l'idée que l'art constitue le moyen de **traduire l'unité primitive**, celle de la substance originelle. En effet, il s'est intéressé à la tradition ésotérique qui définit les rapports entre l'esprit et la matière non pas en termes d'opposition mais de continuité. Ainsi, à l'origine, il n'existerait pas de différence de nature entre le matériel et le spirituel. En fait, cette doctrine remonte à l'antiquité égyptienne ; elle inspira les Grecs – notamment Pythagore et Platon. **La recherche des analogies entre le visible et l'invisible** fut poursuivie par la Kabbale et les alchimistes médiévaux.

Vers la fin du XVIIIe siècle, en réaction contre le règne de la raison qui trouvera ses temples pendant la révolution de 1789, se développe **l'illuminisme** sous l'impulsion, notamment, de **Swedenborg** (1688-1772). Dans la continuité de Boehme, ce théologien suédois pensait que la nature entre dans un rapport d'analogie avec le monde moral : la réalité visible traduit sous forme imparfaite et symbolique le projet de Dieu sur le monde. Ces théories influencent le romantisme et, tel Orphée, le poète hiérophante se fait médium pour rétablir l'unité perdue.

L'illuminisme présente aussi des liens avec la recherche menée par les théoriciens politiques, dont Charles Fourier (1772-1837). Pour lui, la nature humaine est en perpétuel devenir et sa dimension spirituelle se développera d'autant mieux que l'on parviendra à établir une harmonie entre les êtres. Baudelaire évoque toutes ces influences dans son article sur Hugo, repris dans *L'Art romantique*.

2 - BIOGRAPHIE DE CHARLES BAUDELAIRE (1821-1867)

« Si, au contraire des idées reçues, les hommes n'avaient jamais que la vie qu'ils méritent ? » (Sartre, *Baudelaire*).

■ De la trahison de la mère à l'insoumission du fils (1821-1840)

Charles Baudelaire naît à Paris le 9 avril 1821, rue Hautefeuille, dans un ancien hôtel particulier construit sur l'emplacement d'un cimetière juif et transformé en maison de rapport. Cette atmosphère surannée et macabre inspirera nombre de réminiscences au futur poète et son aspiration à l'élitisme aristocratique exprimée à travers son dandysme. **Prêtre défroqué, son père**, François Baudelaire, fréquenta le centre **janséniste** du diocèse de Châlons et occupa les fonctions de précepteur des fils du duc de Choiseul-Praslin. À la naissance de Charles, il exerce la digne profession de chef des bureaux au Sénat mais il n'en méconnaît pas pour autant les arts. **Peintre** à ses heures, il a fréquenté, dans sa jeunesse, le salon de Mme Helvétius, où se retrouvaient plusieurs **penseurs des Lumières**. En 1819, François Baudelaire épouse en secondes noces Caroline Archenbaut Defayis (ou Dufaÿs), de trente-quatre ans sa cadette. Il décède en 1827.

Un an après, sa veuve se marie avec le commandant Jacques Aupick. En 1832, le couple s'installe à Lyon, où Aupick doit exercer les fonctions de chef d'état-major. Très **affecté par la disparition de son père et le remariage de sa mère**, dont il connut l'amour sans partage durant toute une année, le jeune Charles subit les affres de l'internat à Lyon d'abord (1832), puis à Paris (1836) au collège Louis-le-Grand. Brillant, il s'intéresse à la littérature où dominent, à cette époque, Chateaubriand, Lamartine et Hugo. Très tôt, **sa sensualité entre en contradiction avec son aspiration à la pureté religieuse**.

Enfant surdoué inconsciemment persuadé de sa valeur, le jeune Charles n'exploite pas toutes ses capacités. Dans ses lettres, il s'accuse de manquer de volonté et de continuité dans l'effort. Mais, même s'il intériorise les interdits, il ne parvient pas à renoncer à ce qu'il est ; très tôt, il est, à la fois, révolté et soumis ; ces deux forces antagonistes et simultanées exercent sur lui une pression difficile à supporter. Néanmoins, M. A. Ruff parle du « ressentiment tardif » du poète contre son beau-père et Claude Pichois confirme cette interprétation dans son édition de référence, la « Pléiade ». Pour une peccadille, il se fait renvoyer du collège Louis-le-Grand. Puis il prépare et réussit le baccalauréat le 12 août 1839. Inscrit à la faculté de droit, il n'en suit guère les cours. Il se dissipe et, à dix-huit ans, il contracte une blennorragie avec Sara, une prostituée.

■ Les provocations d'un jeune poète (1841-1851)

Dès 1841, Baudelaire décide de se consacrer à sa vocation littéraire. Il admire Victor **Hugo** ; il fréquente **Balzac et Gérard de Nerval** dont il admire les œuvres et partage l'intérêt pour **l'illuminisme inspiré de Swedenborg** (*cf.* p. 13). Mais ses désordres lui valent la réunion, à l'instigation des Aupick, d'un conseil de famille qui l'expédie aux Indes pour tenter de le ramener à une conception plus « réaliste » de la vie. Mais le jeune rebelle refuse de dépasser l'île de la Réunion, alors appelée île Bourbon.

Rentré à Paris, il noue de nouvelles relations littéraires, avec le parnassien Théophile **Gautier**. En 1842, il entame une liaison passionnée et tumultueuse avec **Jeanne** Lemer, dite **Duval**, jeune mulâtresse ; alors figurante dans un théâtre mineur, cette femme ne pénétrera jamais vraiment dans le monde moral du poète, que, cependant, elle inspirera – preuve, s'il en était besoin, que l'art se situe au-delà du bien et du mal et que sa morale se trouve dans le respect de soi.

À sa majorité, Baudelaire réclame sa part de l'héritage paternel et, **adepte du dandysme**, mène grand train mais, en même temps, il pratique la flânerie, se plonge dans **la foule comme dans l'espace compact de la solitude** moderne, née de l'individualisme et de l'indifférence au sort d'autrui. Il commence à écrire – dont une quinzaine de poèmes des futures *Fleurs du mal*. Il s'intéresse aux **théories de Charles Fourier**, dont l'œuvre, complexe et encore mal connue, sera hâtivement qualifiée par Marx de « socialisme utopique », par opposition au matérialisme historique. **En dix-huit mois, le poète dilapide la moitié de son capital** (qui se montait à environ cent mille francs-or) ;

il multiplie les dettes et, après la désignation d'un conseil judiciaire, le poète se trouve mis sous tutelle : désormais (1844), un notaire, maître Ancelle, lui verse une pension mensuelle ; en outre, le dandy devra lui rendre compte de ses faits et gestes. Cette situation infantilisante inflige à Baudelaire une telle humiliation qu'il tente de se suicider en juin 1845. Cependant, il commence à publier, sous le titre de *Salons*, des articles de **critiques littéraires et artistiques**. Il fait également paraître des sonnets.

En 1847, Baudelaire découvre l'œuvre de **l'Américain Edgar Allan Poe** ; il publiera des traductions et des études sur celui qu'il considère comme son frère spirituel, son compagnon en guignon et en dépression. En juin 1848, il participe à l'insurrection ouvrière mais la déconvenue arrive vite. Le coup d'État de Louis Napoléon Bonaparte, le 2 décembre, achève de détourner le poète de la politique.

▪ Les scandaleuses *Fleurs du mal* (1852-1861)

En 1852, Baudelaire fait paraître une étude importante sur Edgar Poe ; ce texte sera suivi de diverses traductions du même auteur. Mais, soucieux de perfection, Baudelaire ne cesse de remanier ses propres poèmes. Il veut se séparer de Jeanne Duval et, sous le couvert de l'anonymat, il commence à adresser des poésies à la belle **Apollonie Sabatier**, dite la Présidente ; elle incarne, pour lui, la femme inaccessible. Alors qu'il se forge cette image féminine idéale, il souffre d'un mal incurable et lutte contre la misère. Il se lie avec le sulfureux Barbey d'Aurevilly et tombe amoureux de la jeune actrice **Marie Daubrun** (1854). En 1855, le suicide de son ami, Gérard de Nerval, trouvé pendu à une lanterne, le bouleverse. En juin de la même année, *La Revue des Deux Mondes* publie dix-huit poèmes de Baudelaire, regroupés sous le titre *Les Fleurs du mal.* Cette parution vaut à leur auteur d'être rangé, dans un article du *Figaro* daté de novembre, « parmi les fruits secs de la littérature contemporaine ».

Fin 1856, le poète signe un contrat avec l'éditeur Poulet-Malassis pour l'édition des *Fleurs du mal* : le recueil paraît le 25 juin 1857. Mais le parquet fait saisir le recueil. Le 20 août 1857, le tribunal correctionnel condamne le poète pour « **offense à la morale publique** » (voir Annexes). Épuisé par les souffrances physiques et morales, Baudelaire se réconcilie avec sa mère, retirée à Honfleur après le décès du général Aupick en 1857. Il séjourne à diverses reprises chez elle.

Il continue à écrire, fait paraître ses *Salons* et, en 1860, *Les Paradis artificiels.* Hugo célèbre en lui l'inspirateur d'« un frisson nouveau ». Bien que frappé par une attaque cérébrale en 1860, Baudelaire continue à parfaire *Les Fleurs du mal*; il en corrige une nouvelle édition, parue en 1861, ainsi qu'un important article sur Wagner, musicien allemand fort apprécié du poète. Mais la malchance s'acharne sur lui et son état de santé se dégrade, irrémédiablement.

▪ La déchéance d'un génie infortuné (1862-1867)

En 1862, Claude-Alphonse Baudelaire, demi-frère du poète, meurt à la suite d'une hémorragie cérébrale, accompagnée d'hémiplégie – preuve d'un mal génétiquement transmis mais sans doute aggravé chez le poète par la syphilis. À quarante et un ans, Baudelaire se sent miné par la décrépitude; la maladie, les angoisses et les drames accablent cet être sensible. « J'ai cultivé mon hystérie avec jouissance et terreur, notet-il. [...] aujourd'hui, j'ai subi un singulier avertissement, j'ai senti passer sur moi le vent de l'aile de l'imbécillité. » Poulet-Malassis, son éditeur, se retrouve en prison pour dettes. L'année suivante, Baudelaire fait paraître une importante étude sur le peintre Delacroix. Début 1864, *Le Figaro* entame la parution d'un recueil de poèmes en prose intitulé *Le Spleen de Paris*; mais, très vite, le directeur du journal signifie au poète que ses textes ennuient les lecteurs.

Criblé de dettes, le poète envisage de rétablir sa situation financière en Belgique. Il s'installe à Bruxelles pour échapper à ses créanciers. Mais ni son état moral ni sa santé ne s'améliorent; il se sent en exil loin de Paris. Blessé par la vie, il écrit un texte violent, *Triste Belgique*; mais que **les lecteurs belges du poète ne s'offusquent pas de ces critiques** dont la fureur traduit l'intensité d'une déception ajoutée à bien d'autres. En 1866, Baudelaire apprend que de jeunes auteurs, Verlaine et Mallarmé, apprécient son talent mais il préfère la solitude, sans doute par peur de décevoir. Sa réclusion s'accroît à cause d'une paralysie grandissante. Après une attaque d'hémiplégie, il ne parvient plus à parler. Rapatrié en France, il ne retrouve plus sa lucidité et meurt le 31 août 1867. Mme Aupick décède à Honfleur, d'une attaque d'apoplexie, le 16 août 1871.

Sartre considère que le poète construit sa vie à partir d'une exigeante volonté de s'affirmer en s'opposant à ceux qu'il qualifiait de « diseurs de rien ». D'après lui, l'auteur des *Fleurs du mal* a voulu trouver une énergie créatrice dans la douleur.

« **L'homme heureux a perdu la tension de son âme, il est tombé.** » Baudelaire n'acceptera jamais le bonheur, parce qu'il est immoral. En sorte que le malheur d'une âme, loin d'être le contrecoup des orages extérieurs, vient d'elle seule : c'est sa plus rare qualité.

Rien ne marque mieux que Baudelaire **a choisi** de souffrir. La douleur, dit-il, est « la noblesse ». Mais justement parce qu'elle doit être noble, il ne serait pas convenable – ni conforme au flegme du dandy – qu'elle prît l'aspect d'une émotion et qu'elle s'exprimât par des cris ou des pleurs. Lorsque Baudelaire nous décrit l'homme douloureux selon son cœur, il a soin de reculer le plus loin dans le passé la cause de ses souffrances. « L'homme sensible moderne » qui a toutes ses sympathies et qu'il présente dans *Les Paradis artificiels* a « un cœur tendre, fatigué par le malheur, mais encore prêt au rajeunissement ; nous irons, si vous le voulez bien, jusqu'à admettre des fautes anciennes... » Une belle tête d'homme, dit-il dans *Fusées*, « contiendra quelque chose d'ardent et de triste – des besoins spirituels, des ambitions ténébreusement refoulées –, l'idée d'une insensibilité vengeresse... enfin (pour que j'aie le courage d'avouer à quel point je me sens moderne en esthétique) *le malheur* ». De là son « irrésistible sympathie pour les vieilles femmes, ces êtres qui ont beaucoup souffert par leurs amants, leurs enfants et aussi par leurs propres fautes ».

3 - UNE ŒUVRE CONSACRÉE À LA QUÊTE DE L'UNITÉ

Provocatrice et synthétique, toute l'œuvre de Baudelaire dépasse son époque mais elle en exprime également l'esprit, l'essence. À la fois représentatives de leur temps et révoltées contre lui, *Les Fleurs du mal* se trouvent au centre de la création baudelairienne : elles synthétisent et portent à leur ultime perfection les recherches de l'auteur sur l'esthétique. Le recueil illustre la conception de la beauté avancée par leur auteur : il traduit **une conception personnelle du beau éternel**. En effet, quel est **le sujet des *Fleurs du*** *mal* ? **La poésie**, les sources de son inspiration, son principe énergétique et ses effets émotionnels. Ainsi, Baudelaire met en forme sa conception de la beauté, en référence à sa vision du monde : pour lui, la réalité tout entière **représente le projet d'un Créateur** et le poète éclaire l'intention cachée de ce principe en le traduisant en images.

■ Le dépouillement d'un classique

Entamée en 1845 et achevée en 1861 par Baudelaire, la genèse tourmentée des *Fleurs du mal* s'étire sur une quinzaine d'années, **au cœur de la vie socio-politique** du siècle. Cependant, le recueil exprime surtout l'essence d'une **expérience existentielle**. Très tôt, Baudelaire ressent une sorte d'écœurement en constatant « la médiocrité des productions littéraires de son temps » – lettre à Mme Aupick, 3 août 1838. Il assigne à la littérature une fonction très haute : dire l'essentiel avec concision sans effets rhétoriques grandiloquents.

Baudelaire admire les auteurs classiques, Racine, La Bruyère et Bossuet. Visant l'unité universelle, il renoue avec **une forme de classicisme**. Pour le poète Paul Valéry, l'auteur des *Fleurs du mal* pourrait se comparer à un architecte rigoureux car il impose une composition impeccable et **une écriture réfléchie, consciente de ses procédés**, aux hallucinations et délires que les romantiques se contenteraient de transposer dans les transes d'une inspiration difficile à maîtriser. Cette volonté de maîtrise a, en effet, incité Baudelaire à se rapprocher, pour un temps, des adeptes de l'art pour l'art – ou parnassiens.

Mais, sur le plan esthétique, **il ne se réclame d'aucune école et ne fonde aucun mouvement**. Très jeune, le poète éprouve un « sentiment de destinée éternellement solitaire » (*Mon cœur mis à nu*). Plus tard, il cultive le nomadisme parisien : il ne se fixe dans aucun domicile (il déménagera une quarantaine de fois). L'errance est sœur de la liberté et de la création car le beau n'appartient à personne : nul ne saurait le définir en lui-même car il échappe à toute définition. « Parce que le Beau est *toujours* étonnant, il serait absurde de supposer que ce qui est étonnant est *toujours* beau » (*Salon* de 1859). Donc, **le beau produit une impression d'étrangeté** parce qu'il exprime une vérité oubliée ou nouvelle : il surprend mais il n'est pas bizarre en soi ; il est moins extravagant qu'excentrique, qu'original. L'auteur ne cherche pas à produire une nouveauté seulement pour innover et faire parler de lui. Ainsi, la poésie ne s'assujettit ni à une doctrine littéraire, ni à une idéologie politique, ni à une religion.

■ La fraternité des arts chère au romantisme

L'auteur des *Fleurs du mal* a multiplié les articles critiques et il s'est beaucoup intéressé aux **arts plastiques**. Quand il cherche à définir une esthétique, il se réfère à la peinture. Pourquoi ? parce qu'elle rend perceptible une vision du monde : tout tableau représente l'être ou l'objet contemplé mais il reflète aussi le point de vue adopté par l'artiste ainsi que son style particulier. Un artiste italien du XVe siècle ou un peintre hollandais du XVIIe siècle ou un impressionniste du XIXe siècle ne représentent pas un bord de mer, par exemple, de la même façon. Une toile constitue une représentation symbolique, mais aussi concrète et personnelle, d'une réalité donnée.

Un tableau rend visible la vérité d'une réalité qui est, elle-même, déjà, une expression de la volonté divine. Aussi, en 1846, Baudelaire considère-t-il le peintre Delacroix comme l'incarnation de l'artiste romantique : ses tableaux rendraient visible l'invisible, entreraient en correspondance avec le monde moral.

Ainsi, pour Baudelaire, **l'art symbolise, telle une métaphore, le réel**. Soucieux de rigueur, de concision, nourri par la critique artistique, le poète privilégie donc le symbole entre toutes les formes d'expression : il pousse alors à sa limite extrême la spécificité de la littérature, représentation des êtres et des choses. **En développant pour lui-même le potentiel symbolique du verbe poétique**, sans chercher à l'inféoder à un impératif éthique ou à une mode esthétique, Baudelaire ouvre la voie à la poésie moderne.

■ L'objectif de l'auteur : spiritualiser le poétique

Au XVIe siècle, les poètes de la Pléiade faisaient du poète un prince éclairant ses contemporains mais ne se mêlant pas de traiter des sujets liés à l'actualité. De même, Baudelaire assigne à la poésie une fonction supérieure et purement esthétique. Tel un mystique, **il recherche la Beauté pour elle-même**, cette beauté spirituelle que l'homme a perdue en se séparant de son Créateur. L'aspiration à l'idéal esthétique devient une forme de religion, exprimant un sens du religieux – plus qu'une foi dans une religion précise.

Cette recherche vise à renouer avec l'unité perdue même si l'homme s'est condamné à la division en commettant le péché originel – épisode de la Genèse qui ouvre l'Ancien Testament. « Il y a dans tout homme, à toute heure, **deux postulations simultanées**, l'une vers Dieu, l'autre vers Satan. L'invocation à Dieu, ou spiritualité, est un désir de monter en grade ; celle de Satan, ou animalité, est une joie de descendre »

(*Fusées*). Ainsi, **l'être humain est double**, un mixte de bien et de mal.

Dans une lettre à Alphonse Toussenel (21 janvier 1856), Baudelaire tient les propos suivants : « [...] à propos de péché originel, et de **forme moulée sur l'idée**, j'ai pensé bien souvent que les bêtes malfaisantes et dégoûtantes n'étaient peut-être que la vivification, corporification, éclosion à la vie matérielle, des mauvaises pensées de l'homme –. Aussi la *nature* entière participe du péché originel ».

La tâche du poète consiste à déchiffrer, puis à traduire les symboles, les images, les signes qui se trouvent dans la nature afin de les restituer, dotés de leur signification première. Il doit donc savoir les organiser, musicalement, visuellement, pour produire un effet qui rende active l'émotion du lecteur. Il a donc une vocation mystique : il assure à l'âme une issue, la possibilité de se fondre dans la nature et, s'élargissant aux dimensions de l'universel, de retourner à son unité originelle.

▪ La douloureuse expérience du mal

Baudelaire considère la souffrance comme nécessaire à la création : « Je sais que la douleur est la noblesse unique » (« Bénédiction »). Le mal revêt donc différentes significations et entraîne plusieurs conséquences – positives car il permet de comprendre les autres; négatives parce qu'il enferme le créateur dans les limites de son corps.

Le mot **mal** peut se définir au sens propre comme la **douleur physique** : le poète souffre dans sa chair parce qu'il est malade et parce qu'il entretient des relations passionnelles avec des femmes aimées, mal ou trop. Il faut aussi prendre le terme dans son acception morale : de « avoir mal », on passe à « faire le mal », d'une position semi-passive, on semble passer à une action car l'homme est tenté par le vice. En fait, selon Baudelaire, le mal métaphysique engendre le **tourment moral** et s'avère indissociable de la souffrance physique.

Dans sa vie personnelle, Baudelaire a connu le mal sous de multiples formes : la mort de son père, le remariage de sa mère avec M. Aupick, constituent les deux traumatismes familiaux majeurs qui déterminent sa propension au repliement sur soi. **L'enfant surdoué s'ennuie** en classe et se sent coupable de ne pas correspondre à l'image de bon élève à laquelle ses parents lui demandent de s'identifier. Ensuite, la mise sous tutelle judiciaire engendre une humiliation continue : le notaire, maître Ancelle, lui verse une pension mensuelle de deux cents francs mais le poète ne parvient pas à accroître ses revenus en écrivant : il souffre d'un manque d'argent chronique encore accru par sa propension au gaspillage. **Il ne gagne pas sa vie** en dépit de ses articles critiques, ses traductions de l'œuvre de l'Américain Edgar Allan Poe, ses recueils poétiques, *Les Fleurs du mal*, mais aussi *Le Spleen de Paris*, leur version prosaïque (adjectif à prendre dans sa double référence au fond et à la forme). Ces difficultés financières le maintiennent dans une dépendance permanente – dans une situation infantile, précise Sartre, qui souligne ainsi la volonté propre à Baudelaire de régresser au stade de l'enfant, capable de vivre en adéquation avec la réalité. Le mal, c'est donc la séparation d'avec les « autres », ceux qui vivent selon les critères et les valeurs dominants.

À cette expérience du mal existentiel s'ajoute une douleur physique : Baudelaire a contracté très tôt la syphilis, sans doute en nouant un commerce avec une prostituée nommée « Louchette ». Il vit dans sa chair les tourments d'une affection très douloureuse, qu'il tente de juguler en usant de drogues. Baudelaire souffre d'un mal ontologique (qui concerne la définition de l'être) qui s'exprime à travers une douleur physiologique et des infortunes familiales ainsi que sentimentales – tourment à la fois subi et cherché car, de l'aveu même du poète, l'homme est **victime et responsable de son malheur**. Comme l'affirme Sartre, le guignon désigne une fatalité extérieure mais, comme nous le verrons, relève aussi d'une stratégie de l'échec.

▪ Une constellation féminine dans la quête du beau

Persuadé d'être laid, Baudelaire recherche la perfection esthétique et il paraît la trouver moins dans de traditionnels « paradis artificiels » que dans ses relations féminines. Comme Ronsard, « prince » des poètes renaissants, il semble comme organiser ses relations sentimentales de manière à envisager différents types de relation possibles avec **des figures emblématiques du féminin**. Mais aucune des femmes qui inspirent Baudelaire n'est nommée : en s'adressant à « son cœur », à « son âme », il s'inscrit dans une tradition esthétique remontant à la courtoisie médiévale ; il noue davantage un dialogue avec lui-même, avec les différentes strates de sa propre personnalité qu'il n'établit un réel échange avec ses inspiratrices.

Au centre de l'inspiration baudelairienne se trouve **la douleur inspirée par sa passion pour sa propre mère**. Dans l'esprit du poète, Mme Aupick l'a trahi en se remariant puis en acceptant de le faire placer sous tutelle judiciaire. C'est ainsi que Baudelaire a perçu l'attitude de sa mère, même si, en fait, cette dernière paraît surtout avoir tenté de limiter la propension de son fils à la dissipation. Sans doute le poète se débauche-t-il par défi ; il s'inflige des tortures pour se rendre d'autant plus pitoyable. Jamais il ne rompra le lien avec sa mère, la femme la plus adorée sans doute.

Sa relation avec **Jeanne Duval** se caractérise par la même complexité : jusqu'à son départ pour la Belgique, Baudelaire ne parvient pas à abandonner celle qui le trompe et le tourmente. Rongée par la syphilis, la métisse débauchée incarne la créature étrange et marginale qui suscite l'envol de l'imaginaire poétique dans des contrées exotiques. Sa démarche sensuelle et dominatrice réunit les caractères contradictoires du bestial et du divin. Pour le poète raffiné, pour le dandy Baudelaire, elle représente l'altérité la plus radicale, la bêtise dans ce qu'elle possède de brutalité absolue, de négation indifférente et franche. Et, en même temps, elle « fonctionne » comme un révélateur du mal chez le poète lui-même : Baudelaire ne se contente pas d'une opposition manichéenne réductrice entre les êtres et les choses : si la métisse Jeanne Duval l'attire, c'est qu'elle bouleverse en lui des territoires inconnus, une étrangeté recelée au plus profond de lui-même. Le bien et le mal ne sauraient trouver de représentants purs mais se mêlent inextricablement.

Mme Sabatier émeut, chez Baudelaire, une zone d'inspiration tout aussi contradictoire que Jeanne Duval. Quoique entretenue par le fils d'un banquier, la divine Apollonie incarne, pour le poète, **l'aspiration à l'idéal et donc la femme nécessairement inaccessible**. En lui adressant des poèmes, sous le couvert de l'anonymat, il la consacre maîtresse idéale et lui fait jouer le rôle de la femme censeur : « Quand je fais quelque grosse sottise, je me dis : *Mon Dieu ! si elle savait !* Quand je fais quelque chose de bien, je me dis : « *Voilà quelque chose qui me rapproche d'elle, – en esprit* » (lettre à Mme Sabatier). Mais il la cantonne dans ce rôle de femme idéale qu'elle quitte le 30 août 1857 – ce qui lui vaut une lettre plutôt sèche du poète : « Et enfin, enfin il y a quelques jours, tu étais une divinité, ce qui est si commode, ce qui est si beau, si inviolable. Te voilà femme maintenant » (lettre du 31 août 1857). En « consommant » la relation sexuelle, Mme Sabatier se « féminise », au sens baudelairien du terme : elle s'enlise dans le réel. Dès lors, incapable d'idéal, elle s'exclut du cercle des égéries car **les muses du poète sont autant ses créatures que ses inspiratrices**.

À l'époque où il adore Mme Sabatier, le poète noue une liaison avec l'actrice **Marie Daubrun**. Cette femme complète la **trinité féminine** et inspire au poète des pièces qui exploitent, par prédilection, le procédé de la transposition d'art ainsi que l'analogie entre la figure de la femme et un paysage. Cependant, les créatures féminines se multiplient dans *Les Fleurs du mal*, inspirées par les errances du poète, telles cette « mendiante rousse » ou cette « passante » qui hantent des lieux obscurs et marginaux.

2

ÉTUDE DU TEXTE

1 - LA COMPOSITION DU RECUEIL

■ Les titres : « Les Lesbiennes », « Les Limbes », *Les Fleurs du mal*

Texte court, le titre annonce le texte long constitué par le corps de l'ouvrage. D'une certaine manière, il commente le contenu de l'œuvre qu'il place sous l'éclairage donné par l'auteur. Avant de s'arrêter au titre définitif, *Les Fleurs du mal*, Baudelaire fait annoncer, dès octobre 1845, la parution d'un recueil poétique intitulé « Les Lesbiennes ». En novembre 1848, il préfère à son titre précédent « Les Limbes », référence à la rhétorique religieuse, à l'œuvre de Dante et au fouriérisme.

Que remarquons-nous? Tout d'abord, **les trois titres choisis par Baudelaire renvoient au féminin** et, plus précisément, à un état indifférencié lié **au féminin, à l'origine du mal et de la création**. À l'époque où le poète rédige ses poèmes, le terme « lesbienne » possède son acception moderne d'« homosexuelle ». Réprouvées par la religion, ces femmes revendiquent une légitimité sociale ; elles préfigurent les mouvements de libération féminine ; ces amazones modernes incarnent une forme d'altérité qui alimente l'érotisme et suscite le désir de Baudelaire. « Ce thème a son origine dans le saint-simonisme, qui a souvent exploité l'idée de l'androgyne dans ses velléités de culte » (Walter Benjamin, *Charles Baudelaire*). En 1857, date où paraissent *Les Fleurs du mal*, la justice condamne aussi *Mme Bovary* pour outrage à la morale : l'héroïne de ce roman de Flaubert, Emma, incarne la femme moderne, faible et forte de ses passions tout à la fois. Cependant, le titre provocateur, « pétard », selon Baudelaire lui-même, de « Lesbiennes » semble un peu réducteur par rapport à l'ambition affirmée par l'ensemble des *Fleurs du mal.*

Du latin *limbus*, « frange, bord », « Les Limbes » renvoient à une symbolique complexe de l'espace ; pour les catholiques, le terme désigne le séjour des justes avant la Rédemption – ou des enfants qui n'ont pas reçu le baptême ; de ce point de vue religieux, les limbes sont réservées aux **âmes en attente de purification**. En effet, depuis le péché originel, la désobéissance d'Adam tenté de mordre dans le fruit de la connaissance, l'homme est souillé par le mal. Le Christ sauve l'humanité en se chargeant des péchés du monde et en purifiant l'homme de ce péché originel. Le choix des « limbes » renverrait à l'évocation d'un lieu ambigu. En outre, dans la rhétorique socialiste de Charles Fourier, elles désignent les temps infortunés précédant l'instauration de la nouvelle ère sociale, toute d'harmonie. Là encore, la perspective se trouve réduite par rapport à l'œuvre définitive. Outre le caractère spécialisé d'un terme peu usité dans le vocabulaire courant, la référence aux limbes brouille la distinction entre le bien et le mal induite par la référence au péché originel.

À l'inverse, l'expression « Les Fleurs du mal » possède le caractère génial de l'évidence, d'une simplicité dandy, en parfaite adéquation avec l'ampleur du propos et de l'esthétique chers à l'auteur. Pour Maurice Regard et Antoine Adam, Baudelaire aurait été inspiré par Balzac, qui, dans *La Comédie humaine*, évoque souvent « la poésie du mal ». Mais, en fait, depuis la Genèse, qui ouvre l'Ancien Testament, le motif floral renvoie à la transgression de l'interdit et à la fascination pour le mal – constitutif, dans bien des mythologies et religions, de la nature même de l'homme.

Le titre définitif désigne un processus, ou la résultante d'une alchimie complexe. L'alliance de mots, ou oxymoron, souligne la perspective tragique propre à Baudelaire : de manière en apparence paradoxale, cet adepte du dandysme présente son recueil comme l'expression d'**une beauté associée à la nature** car la fleur renvoie à une symbolique de la tentation – depuis Ève et le jardin d'Éden, le symbolisme floral renvoie au goût de la transgression. Le poète veut donc arracher son secret à la nature où s'exprime le mal par prédilection. Dans le paradis perdu, l'arbre du savoir recèle les fruits de la connaissance. Avec le péché originel, la nature se recouvre d'un voile – la vérité se cache – et l'homme perd son innocence. Ainsi, la quête du poète s'inscrit dans un contexte spirituel – plus qu'elle ne se réclame d'une religion en particulier.

■ Les trois éditions, 1857-1861-1868

Les Fleurs du mal connurent une lente maturation, qui remonte à 1845, et trois grandes éditions dont la dernière fut posthume. Dès le 1er juin 1855, la *Revue des*

Deux Mondes publie, sous le titre *Les Fleurs du mal*, dix-huit pièces placées par Baudelaire sous l'invocation d'Agrippa d'Aubigné. Auteur d'une épopée inspirée par les guerres de Religion et intitulée *Les Tragiques*, ce poète du XVIe siècle mit sa plume au service de la dénonciation des guerres de religion. Cette épigraphe, dont nous restituons la teneur ci-après, souligne la **nécessité d'édifier le lecteur** par le spectacle atroce des effets mortifères engendrés par le vice ; la révélation de la vérité, même horrible, recèle un potentiel purificateur.

La première édition originale des *Fleurs du mal* date de 1857 ; elle se trouve toujours placée sous le patronage de d'Aubigné. Baudelaire dédie son recueil à Théophile Gautier, le parnassien qui prône l'absolue gratuité de l'esthétique et formule la théorie de « l'art pour l'art ». Sans doute Baudelaire rend-il hommage à l'esthète, à l'adepte de l'absolue perfection ; la deuxième version de la dédicace présente Gautier comme un « **parfait magicien** » de la littérature. Mais, comme le remarque Claude Pichois, il cherche aussi à se réclamer d'un poète connu et confirmé. L'ensemble comprend cent poèmes regroupés en cinq sections dans l'ordre suivant : « Spleen et Idéal », « Fleurs du mal », « Révolte », « Le Vin », « La Mort ». À la suite du procès et de la condamnation pour immoralité, l'éditeur se trouve contraint de retrancher six pièces du recueil.

La deuxième édition originale des *Fleurs du mal* sort en 1861 – c'est elle que retiennent les éditions modernes. Elle contient les poèmes de l'édition précédente, diminuée des œuvres censurées et augmentée d'une trentaine de pièces nouvelles. Baudelaire ajoute la série des « Tableaux parisiens » et modifie l'ordre des autres divisions. Il déplace aussi certains poèmes d'une section à l'autre – ce qui prouve sa volonté d'organiser un ensemble suivant un ordre. Élaborée par deux amis de Baudelaire, l'édition de 1868 contient six sections et 151 poèmes – dont certaines pièces d'*Épaves*.

▪ La composition d'ensemble – tentative de description

Dans les trois premières sections des *Fleurs du mal*, Baudelaire produit une évocation dynamique de la difficile délivrance de l'âme. Dans « Spleen et Idéal », il décrit, sous un éclairage tragique, **la condition du poète**, ses déchirements engendrés par sa mission spirituelle et sa fascination pour le mal.

« **Tableaux parisiens** » **transposent dans l'espace, parisien et esthétique**, les figures de la marginalité, prostituées, vieillards, aveugles; la foule favorise l'anonymat moderne et permet de côtoyer des créatures infâmes; mais l'espace parisien est aussi la résultante de toute une culture : en surimposition, les monuments suggèrent au poète des visions esthétiques et des hallucinations fantastiques : l'albatros de « Spleen et Idéal » symbolise la grandeur méconnue du poète alors que le cygne de « Tableaux parisiens » devient le support d'une rêverie sur des images artistes. **L'espace possède un passé qui alimente l'imaginaire** et le poète convoque les figures naturelles et esthétiques qui lui ressemblent. Mais la mémoire semble aussi se vider à cause du retour des saisons, dont la répétition paraît annuler toute progression; il faut donc recourir aux drogues évoquées dans « Rêve parisien » mais l'hallucination suscite, comme par un effet de retour, la métaphore spatiale : « Architecte de mes féeries, / Je faisais, à ma volonté, / Sous un tunnel de pierreries / Passer un océan dompté. » La section suivante, « Le vin », rapporte comme le poète mais aussi les hommes en général, les damnés comme les élus, cherchent dans l'ivresse un improbable oubli.

Dans les trois dernières sections, le poète paraît prendre un recul relatif pour décrire, comme au deuxième degré, des représentations de la débauche et ses déplorables effets. « La révolte » retrace une manière de généalogie chrétienne du mal. « La mort » aiguise encore la conscience cruelle du néant nécessaire à la création mais aussi à la compréhension du sens de la vie. Enfin, le recueil se clôt sur lui-même, forme comme une boucle tout en prenant acte de l'alchimie poétique qui a permis d'abstraire l'énergie du mal.

En effet, alors que dans le texte liminaire du recueil, l'ennui personnifié incarne l'ennemi par excellence de l'homme, le vampire qui lui ôte ses forces, dans la dernière pièce de la section intitulée « La mort », Baudelaire décide volontairement de partir vers d'autres horizons : tout se passe comme si la création poétique témoignait de la force du principe créateur en soi et donnait à l'auteur l'énergie d'affronter son propre néant. *Les Fleurs du mal* forment donc un tout, **un cycle fortement constitué par un système d'échos**.

■ L'organisation du recueil : quelle serait son unité ?

Peu après la parution scandaleuse des *Fleurs du mal* et avant leur condamnation, le romancier et nouvelliste Barbey d'Aurevilly écrit un article pour défendre Baudelaire. Il affirme : *Les Fleurs du mal* « sont moins des poésies qu'une œuvre *de la plus forte unité*. Au point de vue de l'Art et de la persuasion esthétique, **elles perdraient donc beaucoup à n'être pas lues dans l'ordre** où le poète, qui sait bien ce qu'il fait, les a rangées. Mais elles perdraient bien davantage **au point de vue de l'effet moral** que nous avons signalé au commencement de cet article ». Ces assertions posent problème car, à première lecture, il semble difficile, comme en témoigne notre tableau, de déceler un principe d'organisation intime dans le classement des six sections définies par Baudelaire.

Comment comprendre le terme « unité » ? Il ne fait aucun doute que, fidèle au principe des correspondances intimes, le poète a cherché à suggérer **l'unité du visible et de l'invisible** au travers même de la dualité de sa propre expérience. Mais il ne s'agit pas seulement d'une quête esthétique de l'unité car Barbey d'Aurevilly insiste sur la nécessité de lire le recueil suivant l'ordre choisi par l'auteur. À la même époque, ce dernier confirme cette idée dans une lettre à son avocat : « Le Livre doit être jugé *dans son ensemble*, et alors il en ressort une terrible moralité. » En fait, il s'agit de **ressentir l'effet moral** recherché par l'auteur. Cette interprétation fait appel à la psychologie, donc à la subjectivité du lecteur ; mais, en cela, elle s'inscrit dans le cadre de la réflexion menée par Baudelaire sur le caractère à la fois éternel et historique de l'art. Si l'on accepte cette version, *Les Fleurs du mal* rempliraient un but moral, presque pédagogique ou, du moins, cathartique en inspirant à son lecteur une horreur sacrée pour le mal dont il doit, cependant, reconnaître le caractère fascinant. En effet, la structure dialoguée de la dédicace place le recueil sous l'égide de la tragédie et de **la purgation des passions**. Dans la tradition classique, la lecture des *Fleurs du mal* aurait pour effet de renvoyer au lecteur le miroir de ce mal dont le poète le sait complice : « – Hypocrite lecteur, – mon semblable, – mon frère ! » (« Au lecteur »)

Ce genre d'explication, *a posteriori*, n'emporte jamais une conviction immédiate – ainsi *Les Liaisons dangereuses*, en dépit des assurances de Laclos, son auteur, n'ont jamais convaincu leur lecteur de l'atrocité du libertinage. Et pourtant, dans *Les Fleurs du mal* aussi, **la leçon morale ressort de l'édification engendrée par la démystification** des illusions sur soi. Inspirer l'horreur du mal en révélant son pouvoir de destruction spirituelle et engager l'homme à sauver son âme en l'incitant à lutter contre ses désirs : sans doute est-ce là une interprétation possible du principe d'unité propre au recueil.

Elle se révèle, en outre, cohérente avec l'esthétique de Baudelaire : il ne privilégie pas le sujet du poème ou son objet, la « belle nature » célébrée par les auteurs classiques ; mais il tente de dégager le principe de l'inspiration poétique à la faveur d'une réflexion critique très exigeante, dure pour l'auteur, mais bénéfique en ce qu'elle produit un effet purificateur sur son lecteur. **Donc, la composition d'ensemble répondrait à une visée cathartique, à une volonté de se purifier de ses tendances mauvaises.**

■ La composition cyclique de « Spleen et Idéal »

La première section des *Fleurs du mal* est aussi la plus longue ; nous pouvons là encore identifier différents cycles car le principe de composition de cette division s'avère cyclique : elle regroupe une série de « couches » concentriques centrées sur la trinité féminine déjà définie plus haut (*cf.* Repères, 3.) ; mais, en outre, elle offre une structure en reflet : la première et la dernière strates évoquent la figure d'un poète torturé et nourrissant ses propres tourments.

- **Première strate : le poète**. Les seize premiers poèmes évoquent la condition du poète châtié pour son **orgueil** et, en même temps, chargé d'une mission spirituelle.
- **Deuxième strate : la beauté inaccessible**. Les cinq poèmes suivants (de « La beauté » à « Hymne à la

beauté ») définiraient la conception baudelairienne de **la beauté idéale**.

- **Troisième strate : les trois cycles amoureux centrés eux-mêmes sur le cycle consacré à l'amour spiritualisé. Le cycle de l'amour charnel** commence avec « Parfum exotique » et s'achève avec « Je te donne ces vers ». Il regroupe des textes inspirés par Jeanne Duval mais aussi d'autres femmes vénales – « Une nuit que j'étais près d'une affreuse juive... » rapporte le souvenir de la prostituée Louchette – ; des pièces évoquant l'alchimie naturelle de la décomposition organique – « Une charogne » – ; ou la quête initiatique du passionné déchiré par une passion analogue à une relation vampirisante – « De profundis clamavi », « Le vampire », « Duellum », « Le possédé » – Baudelaire a entretenu une liaison orageuse avec la mulâtresse Jeanne Duval, qui incarne pour lui son invincible attirance pour une créature amorale – mais aussi la figure de son propre remords, peut-être l'aurait-il contaminée... En fait, l'amour charnel se trouve au principe de son inspiration poétique parce qu'il fait de la chair le médium de la sublimation. En témoigne un projet d'épilogue, abandonné, que Baudelaire adresse à Victor de Mars, le 7 avril 1855 :

> « Si vous voulez me plaire et rajeunir mes désirs, soyez cruelle, menteuse, libertine, crapuleuse et voleuse ; – et si vous ne voulez pas être cela, je vous assommerai, sans colère. Car **je suis le vrai représentant de l'ironie**, et ma maladie est d'un genre absolument incurable. »

Avec « Semper eadem » (toujours identique à elle-même) commence **le cycle de l'amour spirituel** ; concernant sa composition, nous retiendrons l'analyse de Claude Pichois. D'après lui, cette série regroupe **neuf poèmes** : « Tout entière », « Harmonie du soir »,

« Le flacon » ainsi que six des sept textes adressés à Mme Sabatier : « À celle qui est trop gaie », « Réversibilité », « L'aube spirituelle », « Confession », « Le flambeau vivant », « Que diras-tu ce soir… » – le septième, « Hymne », se trouve rejeté dans *Épaves*. Le 18 août 1857, Baudelaire lui-même aurait affirmé à Mme Sabatier qu'elle lui aurait inspiré neuf poèmes. En réalité, il a envoyé, de décembre 1852 à mai 1854, sept pièces à son égérie. Cependant, comme nous l'avons vu (*cf.* Repères, 3), les femmes fréquentées par le poète représentent aussi, peut-être même surtout, des supports nécessaires à son imagination. Nous pouvons donc considérer que, en parlant de poèmes envoyés à Mme Sabatier, Baudelaire associe les différents textes traitant de la passion sublime.

Enfin, entamé par « Le poison », **le cycle de l'amour artiste** se clôt avec « Une gravure fantastique ». Il met en place une série d'analogies entre la femme, la nature et l'art. Il comprend des pièces inspirées par Marie Daubrun, comme « Le chat », « Le beau navire », « L'irréparable », « Causerie », « Chant d'automne », « À une madone » – mais aussi des textes évoquant des femmes de passage, comme « Chanson d'après-midi », « Sisina », « Franciscae meae laudes », « Moesta et errabunda », « Sonnet d'automne ».

- **Quatrième strate : la transposition d'art**. Nous reviendrons (*cf.* Étude du texte, 3) sur le procédé cher à Baudelaire, qui consiste à mettre en perspective ses propres productions et d'autres œuvres littéraires, antiques ou modernes, ainsi que des œuvres artistiques, comme dans « Une gravure fantastique ».
- **Cinquième strate : la hantise et la fascination pour le néant**. À partir de « J'ai plus de souvenirs que si j'avais mille ans », une série de poèmes

traduit **le spleen**. Mais le poète finit non pas tant par trouver le salut que par dépasser l'angoisse morbide par la conscience de l'universelle vanité. Ainsi, la forme poétique, la création, permettent de donner forme à l'inconsistance de la vie et sens aux contradictions d'un auteur tourmenté. Donc, la section « Spleen et Idéal » ne se referme pas sur elle-même : elle forme une boucle, certes, mais avec le décalage induit par la conscience de l'irrémédiable formulée dans l'ultime quatrain de l'avant-dernier poème « L'Irrémédiable » : « Un phare ironique, infernal, / Flambeau des grâces sataniques, / Soulagement et gloire uniques / – **La conscience dans le Mal** ! » Ces vers précisent la fonction du poète en écho au poème « Les phares », situé au début de la division ; ils permettent de mesurer la transfiguration de la figure même du créateur dans « Spleen et Idéal ». Le dernier poème, « L'horloge », fait du temps le facteur d'un anéantissement fatal auquel remédient le souvenir, la fixation par la mémoire et l'écriture.

▪ Une démystification ironique ?

L'architecture que nous avons tenté de dégager ne saurait épuiser les interprétations multiples suscitées, provoquées par une œuvre complexe. Baudelaire n'a suivi un ordre ni logique ni chronologique... Pouvons-nous imposer un ordre strict à un recueil poétique sans le réduire ? Les affirmations concernant l'ordre des *Fleurs du mal* ressemblent parfois à un plaidoyer visant à justifier l'immoralité apparente des textes par la moralité de leur construction et, donc, de leur principe organisateur. Mais pourquoi demander à un poète de suivre une démarche démonstrative à l'instar d'un mathématicien ? ou une structure argumentative proprement philosophique ? La poésie ne doit de comptes à personne : elle affirme son principe en toute liberté.

En fait, plus qu'une impression d'unité, le recueil produit sur son lecteur un effet de dispersion : tout se passe comme si le poète suggérait **l'éclatement du sens dans une société en voie de décomposition spirituelle**.

Baudelaire présente *Les Fleurs du mal* comme un « dictionnaire », un répertoire, un catalogue des beautés engendrées par un mal recélant des richesses secrètes ; tout se passe comme si chaque poème, ou chaque fleur, s'organisait à partir d'un centre, d'un pistil, la beauté idéale. En somme, Baudelaire définit son recueil comme une manière de sphère à facettes, dont chaque pièce éclaire un centre invisible, une beauté inaccessible et une vérité impossible à découvrir. Sans doute n'a-t-il pas vraiment imprimé à son recueil une organisation définitive. Il semble renouer avec le **projet « encyclopédique » des poètes de la Pléiade**, tel Ronsard, qui traitait, de manière systématique, tous les motifs de la poésie amoureuse. À chacun de recomposer son propre ensemble avec les fragments du puzzle.

2 - LES GRANDS PRINCIPES DU RECUEIL

À leur parution, en 1857, *Les Fleurs du mal* firent scandale et contribuèrent à classer Baudelaire parmi les poètes maudits. En fait, **il a refusé d'expliquer son projet**, persuadé que la compréhension de l'auteur et de l'œuvre relève d'une intuition et d'une faculté critique propres au lecteur. « Je suis au contraire très fier d'avoir produit **un livre qui ne respire que la terreur et l'horreur du Mal** » (*Correspondance*, lettre à Achille Fould, juillet 1857).

■ La démarche du poète

Le poète a l'intelligence des choses, l'intuition de l'unité

Pour Baudelaire, **le poète possède l'intelligence du vivant** car il est capable d'évoluer en empathie avec les êtres et les choses. Ce principe esthétique dépasse le point de vue politique développé par Fourier pour acquérir une dimension spirituelle. En témoigne cet extrait d'une lettre datée du 21 janvier 1856 et adressée à Alphonse Toussenel, propagateur du système de Fourier, qui affirmait l'unité universelle du vivant et incitait à mettre en phase les forces passionnelles ainsi que les énergies spirituelles dans les phalanstères :

> « Il y a bien longtemps que je dis que **le poète est *souverainement* intelligent**, qu'il est *l'intelligence* par excellence, et que *l'imagination* est la plus scientifique des facultés, parce que seule elle comprend *l'analogie universelle*, ou ce qu'une religion mystique appelle la *correspondance*. [...] Ce qu'il y a de bien certain cependant, c'est que **j'ai un esprit philosophique** qui me fait voir clairement ce qui est vrai, même en zoologie, bien que je ne sois ni chasseur, ni naturaliste. [...] L'homme raisonnable n'a pas attendu que Fourier vînt sur la terre pour comprendre que **la Nature est un *verbe*, une allégorie, un moule**, un *repoussé*, si vous voulez. »
>
> *Correspondance.*

Cet éloge de l'imagination ne doit pas nous abuser : même si la faculté imageante permet, dans un premier temps, d'avoir l'intuition de l'invisible, c'est par le calcul, par l'effort rationnel, par le travail rhétorique que, méprisant les effusions lyriques incontrôlées, le poète s'efforce de rendre le principe d'unité.

Pour Baudelaire, le dandy construit sa tenue vestimentaire et toute son apparence de manière à rendre visible l'**éthique de la différence** : « [...] car le mot dandy implique une quintessence de caractère et **une intelligence subtile de tout le mécanisme moral de ce monde** ; mais, d'un autre côté, le dandy aspire à l'insensibilité [...] » (« L'artiste, homme du monde, homme des foules et enfant », dans *Le Peintre de la vie moderne*).

Pour Baudelaire, le véritable dandy ne cultive pas seulement le culte de l'apparence ; il suit les règles, les rites, pourrait-on dire, d'une société marginale mais rigoureuse. Depuis l'origine, le dandysme exprime une recherche transitoire d'une forme d'élitisme, d'aristocratie. « L'idée que l'homme se fait du beau s'imprime dans tout son ajustement, chiffonne ou raidit son habit, arrondit ou aligne son geste, et même pénètre subtilement, à la longue, les traits de son visage. **L'homme finit par ressembler à ce qu'il voudrait être** » (« Le beau, la mode et le bonheur », *op. cit.*). Ainsi, l'homme construit sa personnalité en s'identifiant au rôle qu'il s'attribue, en toute conscience.

Aussi le poète ne doit-il pas céder aux mirages de l'inspiration : il **doit pratiquer un art en toute conscience** des techniques à exploiter. « Qui oserait assigner à l'art la fonction stérile d'imiter la nature ? » (« Éloge du maquillage », *op. cit.*).

Cette conception du dandysme nous permet de mieux comprendre la position de Baudelaire vis-à-vis du Parnasse. Pour lui, en effet, **le culte de la forme ne saurait se dissocier d'une discipline morale**. Aussi **un art, sans but éthique, ne se justifie-t-il pas** : Baudelaire commence par admirer Théophile Gautier mais il critique sa théorie de l'art pour l'art, base de la pratique parnassienne. « Vous savez que je n'ai jamais considéré la littérature et les arts que comme poursuivant **un but étranger à la morale**, et que **la beauté de conception et de style me suffit**. Mais ce livre, dont le titre : *Fleurs du mal* dit tout, est revêtu, vous le verrez, d'une beauté sinistre et froide ; il a été fait avec fureur et patience » (*Correspondance*, lettre à Mme Aupick, 9 juillet 1857). La poésie est morale non pas dans le sens où elle délivrerait un contenu normatif mais en ce sens qu'elle exige **le contrôle des émotions, la discipline de l'esprit et qu'elle implique une élévation de l'âme**.

« Au fond de l'inconnu pour trouver du nouveau » ?

Certains critiques font de Baudelaire une victime de la nécessité de trouver du nouveau. Il paraît étrange de définir la spécificité de l'auteur des *Fleurs du mal* « par soustraction », par élimination des productions antérieures... Certes, il écrit lui-même dans un des projets de préface de son recueil : « Des poètes illustres s'étaient partagé depuis longtemps les provinces les plus fleuries du domaine poétique. Il m'a paru plaisant, et d'autant plus agréable que cette tâche était plus difficile, d'extraire la beauté du Mal. »

Cependant, défions-nous des suggestions – par ailleurs non retenues – formulées par un poète adepte de l'ironie et de la constante prise de distance critique. Peut-on sérieusement croire possible de diviser l'espace en régions, d'attribuer le ciel à tel auteur, l'enfer à tel autre, etc. ? L'esthétique baudelairienne résulte d'une alchimie **échappant à toute classification formelle** car **le beau ne possède pas de contenu précis** ; ses expressions diverses changent au cours du temps.

Le poète est à la fois un élu et un être maudit. Il doit subir son exil chez les hommes tout en gardant l'espoir d'être sauvé. En témoignent ces vers de « Bénédiction » :

> « Je sais que vous gardez une place au Poète
> Dans les rangs bienheureux des saintes Légions,
> Et que vous l'invitez à l'éternelle fête
> Des Trônes, des Vertus, des Dominations. »

Il lui faudra donc attendre une rédemption future car sa mission lui vaut le mépris de ses contemporains. Pour Baudelaire, en effet, les Français aiment à se vanter de leurs grands auteurs tout en les méprisant, en les ignorant et en les réduisant à la plus noire misère. Aussi la célèbre figure de l'albatros synthétise-t-elle la figure centrale du poète : « Exilé sur le sol au milieu des huées, / Ses ailes de géant l'empêchent de marcher. » Le poète souffre de sa propre **nostalgie de l'idéal** mais aussi de **l'incompréhension** de ses contemporains et enfin de **l'état de déchéance** où se trouve l'humanité – donc il lui est d'autant plus difficile de retrouver les conditions primitives, celles d'une transparence, d'une immédiateté établie entre l'homme et le monde – lire la pièce V de « Spleen et Idéal ».

Cependant, doté d'une énergie certaine, le poète, quelque infortuné et malheureux qu'il soit, s'efforce de trouver dans le principe même de la destruction une énergie dont il nourrit sa création alchimique.

■ Les médiateurs du poète

Les paradis artificiels

L'imagerie littéraire associe Baudelaire avec l'usage des paradis artificiels. Cependant, de même que Rabelais encense la « dive bouteille » tout en demeurant relativement sobre, il convient de prendre du recul vis-à-vis de ce que nous pourrions qualifier de motif rhétorique plus que de pratique délibérée et habituelle.

L'ivresse dionysiaque constitue, en effet, un thème venu de l'Antiquité grecque, en liaison avec l'inspiration sous son aspect le plus fou et anarchique.

Depuis le XVIIIe siècle, en France et en Angleterre, l'opium procurait un soulagement aux malades. Baudelaire ne fréquente pas en habitué les fumeries parisiennes ; il fume du hachisch dès son voyage dans les îles mais il ne s'intoxique pas et il utilise **la drogue pour calmer ses douleurs**. En fait, au cours de la première moitié du XIXe siècle, la drogue est devenue **un motif littéraire**. Mais Baudelaire ne saurait se satisfaire d'une simple transcription de visions hallucinées. En 1864, à Bruxelles, il condamne les « excitants dont la caractéristique générale est d'engendrer un affaiblissement proportionné à l'excitation et un châtiment aussi cruel que la jouissance a été vive ».

Ainsi, l'usage des paradis artificiels se résume, dans son cas, à **la recherche calculée d'un état second favorable à la création** – un état peut-être proche des « limbes », l'un des titres envisagé par Baudelaire pour son recueil poétique.

Baudelaire n'est ni un pornographe ni un drogué victime d'une prétendue dépendance. Pour lui, la tentation de l'oubli procuré par la drogue n'est que la forme inversée de la nostalgie de l'infini.

> « C'est dans **cette dépravation du sens de l'infini** que gît, selon moi, la raison de tous les excès coupables. »
>
> « Le goût de l'infini », dans *Le Poème du hachisch*.

Le plus souvent, le poète évoque des visions inspirées par l'opium mais il exploite l'énergie onirique de ces hallucinations plus qu'il ne laisse libre cours à ses délires. « La vie antérieure » **transpose un état mental en filant la métaphore spatiale** et en exploitant les motifs architecturaux et maritimes : « J'ai longtemps habité sous de vastes portiques / Que les soleils marins teignaient de mille feux. » « L'invitation au voyage » exploite le même procédé mais fournit une version plus citadine de l'espace, à travers l'évocation d'Amsterdam ainsi que de ses intérieurs aux « meubles luisants » de propreté et aux « miroirs profonds ». Dans « Rêve parisien », la drogue ne produit qu'un effet éphémère mais engendre toujours ces images dures toutes de brillance, empruntées à la pierre, aux reflets sur l'eau, aux lumières solaires.

La femme médiatrice

Dans *Les Fleurs du mal*, **les femmes inspirent l'imaginaire poétique**. Elles **incarnent le véritable paradis artificiel**, comme en témoigne « Le serpent qui danse » où le poète rapproche la créature charnelle du serpent diabolique pour mieux transformer le vice en image inversée d'une nostalgie spirituelle : en respirant la chevelure de la mulâtresse, il « appareille / Pour un ciel lointain ». La dernière strophe du poème souligne l'analogie entre la femme et l'ivresse : « Je crois boire un vin de Bohême. » Baudelaire utilise la griserie procurée par l'excitation sensuelle de l'érotisme pour mieux s'évader dans des contrées inconnues.

Les parfums facilitent son départ vers l'imaginaire et l'infini. « Le flacon » décrit un objet emblématique où se recueillent **le parfum capiteux et sensuel mais aussi l'âme du poète,** soulignant l'analogie profonde des différents médiateurs, l'odeur et le principe poétique. De manière significative, Baudelaire fait suivre cette pièce d'un texte inspiré par Marie Daubrun et intitulé « Le poison »; composé de strophes aux vers de longueurs inégales, il est consacré aux « paradis artificiels », le vin, populacier, et l'opium, plus « intellectuel ».

« **Le vin sait revêtir le plus sordide bouge**
D'un luxe miraculeux [...]
L'opium agrandit ce qui n'a pas de bornes,
Allonge l'illimité,
Approfondit le temps, creuse la volupté,
Et de plaisirs noirs et mornes
Remplit l'âme au-delà de sa capacité. »

Mais la fascination exercée par le regard vert de Marie Daubrun est encore plus forte que l'effet produit par les paradis artificiels.

Baudelaire renouvelle le principe de l'**Éros platonicien**, qui inspire la figure romantique de la femme médiatrice et rédemptrice. En outre, pour les théoriciens socialisants Enfantin et Flora Tristan, la femme représente une intermédiaire entre l'homme et Dieu. Selon Platon, un être beau recèle une parcelle de la beauté absolue et, en le regardant, l'âme s'émeut car elle conserve le souvenir de l'amour idéal. Dans *Mon cœur mis à nu*, le poète avoue son « goût précoce des femmes » mais cette sensualité relève d'une érotique inspiratrice : *Fusées* évoque « ces voluptés qui ressemblaient à des souvenirs » et dans ses textes critiques, il définit aussi l'art comme une « mnémotechnie du beau » (« De l'idéal et du modèle », dans *Écrits sur l'art*, *Salon de 1846*). Entre Jeanne Duval et Mme Sabatier, la différence n'est pas de nature mais de degré dans l'élévation, dans la hiérarchie spirituelle.

La femme incarnation du mystère

Pour Baudelaire, la femme, la vierge comme la prostituée, incarne une forme d'étrangeté qui le fascine car elle représente ce qui lui échappe et donc le définit en négatif – il n'est pas une femme mais la femme réveille en lui la nostalgie de l'infini en sollicitant ses sens à l'infini. « Je t'adore à l'égal de la voûte nocturne, / Ô vase de tristesse, ô grande taciturne, / Et t'aime d'autant plus, belle, que tu me fuis » (XXIV). **La femme, c'est l'autre**, celle qui se refuse, celle qui représente l'inconnu – Jeanne Duval et la mendiante rousse auraient eu des relations homosexuelles. Le premier titre du recueil « **Les Lesbiennes** » s'inscrit dans cette perspective : la femme définit son univers sans se soucier de l'homme ; elle ignore alors la procréation et la maternité, honnies de Baudelaire ; mais elle défie la virilité dont elle n'a que faire.

L'amour charnel ôte au poète sa force, son énergie vitale : la femme devient vampire. Cependant, bien loin de se réduire à une image simpliste inspirée par un manichéisme simpliste, **toute femme se révèle double** : la femme vénale est aussi la médiatrice.

3 - L'ESTHÉTIQUE DU RECUEIL

Le monde se présente à Baudelaire comme un **grand texte** dont seuls les formes extérieures, les signifiants, sont visibles. L'auteur se propose d'éclairer les signifiés et donc se donne pour mission de transcrire le réel en images pour faire percevoir son organisation intime cachée. Son projet consiste à **transposer les analogies** qui structurent la Création tout entière.

> « Heureux celui qui peut d'une aile vigoureuse
> S'élancer vers les champs lumineux et sereins ;
> Celui dont les pensers, comme des alouettes,
> Vers les cieux le matin prennent un libre essor,
> – Qui plane sur la vie, et comprend sans effort
> **Le langage des fleurs et des choses muettes**. »
>
> « Élévation ».

Dans *Les Fleurs du mal*, le poète pousse donc à sa limite la démarche de tout écrivain : par définition, la littérature transpose la réalité sur un mode symbolique. En outre, **sa poésie s'inspire des autres arts**.

■ Rendre visible l'invisible

La correspondance, rigueur et symbolisme

Le but de Baudelaire consiste sinon à restaurer du moins à **suggérer l'unité perdue** : la parfaite adéquation du mot et de la chose permet de rendre perceptible la correspondance entre le réel et son référent initial, la Vérité. Alors que, avec *Le Spleen de Paris*, il pratique le poème en prose, **Baudelaire privilégie**, dans *Les Fleurs du mal*, **les formes fixes** héritées de la Renaissance, comme le sonnet, ou d'autres types de construction, tel le pantoum. En effet, la contrainte engendrée par une composition exigeante contribue à faire du poème un équivalent symbolique de la réalité. Aussi, comme le texte parnassien, le poème baudelairien constitue un objet : il forme un tout symbolique – **Symboliser, c'est « rapprocher »** et, ici, entrent en correspondance le visible et l'invisible grâce à l'exploitation des ressources fournies par la rhétorique, la métrique, la rythmique, les sonorités, etc.

Qu'est-ce qu'une « **correspondance** » ? D'après le dictionnaire Robert, ce terme revêt, au premier chef, l'acception suivante : « **rapport logique** entre un terme donné et un ou plusieurs termes déterminés par le premier » ; « dans le langage courant : **rapport de conformité** ». Ainsi, la correspondance induit **la justesse de l'expression** ; elle exige de Baudelaire l'observance d'une morale impliquant une parfaite adéquation du mot et de la chose. Or, il serait peu crédible de prétendre savoir distinguer le bien du mal : l'un est dans l'autre, comme la fleur naît de la fascination pour le vice. Aussi, l'intérieur de chaque poème, la parole poétique met-elle en correspondance le mot, le signifiant, avec un signifié qui doit être approché de manière contradictoire ou complexe. **Plusieurs procédés**

convergent vers le principe même de l'inspiration poétique : l'unité du monde.

Revenons au dictionnaire pour préciser le sens de la « Théorie des correspondances : l'univers est composé de règnes analogues, chaque élément correspond à un élément d'un autre règne et peut lui servir de symbole ». En effet, suivant la tradition ésotérique, **le monde visible et l'espace invisible entrent en correspondance**. Souvent qualifiées de « verticales », ces analogies s'imposent comme des réalités essentielles. Elles se distinguent en cela des **synesthésies**, ou correspondances « horizontales », relatives à la nature et à l'histoire de l'homme. Comme nous le verrons, la correspondance met en rapport l'invisible, l'idéal, avec le visible, alors que la synesthésie exprime la communication des cinq sens entre eux.

Cependant, cette rigueur s'accompagne d'un effacement de repères liés aux circonstances de la biographie ou de l'histoire. À l'inverse des romantiques, Baudelaire ne transforme pas la poésie en instrument philosophique ou en arme polémique. Ses textes sont empreints d'une généralité qui les rend capables d'atteindre l'éternel. Il use souvent de **déterminants définis** et rédige ses poèmes **au présent intemporel**, comme pour faire appel à la mémoire de ses lecteurs.

Il affectionne **les formules gnomiques** (ou générales) : « L'Art est long et le Temps est court » (« Le guignon ») ainsi que les effets de rythme permis par les symétries et les anaphores – ou reprises des mêmes structures syntaxiques appuyées sur une répétition : « Et jamais je ne pleure et jamais je ne ris » (« La beauté »). La généralité contribue à la concentration des effets cherchée par l'auteur parce qu'elle semble conférer au symbole une sorte d'éternité. Ainsi, le titre du recueil, *Les Fleurs du mal*, lance le principe de l'**oxymore**, ou alliance de termes en apparence incompatibles : dans les titres, « Horreur sympathique », comme dans les évocations, « C'est Elle ! noire et pourtant lumineuse » (« Les ténèbres » dans « Un fantôme »), « ce soleil de glace » (« De profundis clamavi »). En effet, l'oxymore est la figure rhétorique privilégiée d'une esthétique tragique.

Les métaphores filées

Le principe de l'analogie implique le **recours aux figures rhétoriques fondées sur un rapprochement**, implicite ou explicite : il s'agit, essentiellement, de la comparaison mais, plus encore, de la métaphore. Cette figure de style consiste à évoquer un être, un objet ou une idée, en utilisant un nom qui désigne un être, un objet ou une idée ressemblant aux premiers. La comparaison « en forme » restitue le comparé, le comparant et l'outil grammatical qui sert à les rapprocher. La métaphore reste dans l'allusion.

Baudelaire file la métaphore pour mieux souligner l'identification du comparé et du comparant. Ainsi, dans « Le beau navire », il compare la femme aimée, en l'occurrence Marie Daubrun, à un vaisseau – le point de comparaison réside sans nul doute dans la démarche chaloupée de l'actrice. À cette figure rhétorique centrale s'associent d'autres procédés, comme la multiplication des termes empruntés au lexique de la marine, mais aussi de mots renvoyant au vocabulaire moral : la démarche de l'amante révèle la dualité de l'attirance charnelle pour la femme, mystérieuse synthèse de l'esprit d'enfance et des charmes maléfiques des sorcières. En outre, le poète exploite les variations de rythme pour mieux souligner la cohérence de sa métaphore et clore son poème sur une évocation fugace (« Tu passes ton chemin, majestueuse enfant »), en relation avec l'attaque même du poème (« Je veux te peindre ta beauté, / Où l'enfance s'allie à la maturité »). Ainsi, à l'intérieur même du poème baudelairien, les sons, les images, les rythmes, tout finit par entrer en correspondances intimes.

La projection dans l'espace

Baudelaire donne une forme concrète aux aspirations de l'âme en les transposant en images spatiales. Ainsi, **l'espace naturel s'oriente** en fonction d'une quête de l'élévation ou d'une ouverture vers l'infini figuré par l'horizon marin ou d'une chute cauchemardesque dans le gouffre. **L'image de l'âme se reflète dans l'espace naturel** : « La mer est ton miroir; tu contemples ton âme / Dans le déroulement infini de sa lame, / Et ton esprit n'est pas un gouffre moins amer » (« L'homme et la mer »).

En outre, le corps de la femme sensuelle constitue un **support à l'envol imaginaire** vers des contrées exotiques, comme en témoignent, entre autres, « Parfum exotique » et « La chevelure ». Parfois, la figure de la femme présente des analogies avec l'espace, comme dans « Ciel brouillé » : « Tu rappelles ces jours blancs, tièdes et voilés. » « Tu ressembles parfois à ces beaux horizons. » « L'invitation au voyage » paraît établir une relation d'équivalence entre la femme, le paysage et l'âme du poète.

L'espace constitue aussi une représentation de l'intériorité du poète : « Mais mon cœur, que jamais ne visite l'extase, / Est un théâtre où l'on attend / Toujours, toujours en vain, l'Être aux ailes de gaze ! » (« L'Irréparable ») « Mon cœur est un palais flétri par la cohue » (« Causerie »). Ces lieux évoquent à la fois la demeure à l'ameublement suranné où vécut le poète dans son enfance, et le décor d'une comédie humaine où Baudelaire évolue, désenchanté. L'espace n'évoque donc l'état d'esprit du poète que sous une forme dégradée.

Les constellations d'images

Certains poèmes, comme « Le beau navire », développent une image centrale ; d'autres construisent un système d'échos entre plusieurs images. Ainsi, « Harmonie du soir » s'inspire de la **réminiscence** d'une passion évanouie, dont le souvenir nostalgique semble s'effacer. L'auteur **multiplie les images métaphoriques** pour mieux suggérer l'évanescence, la perte de consistance. Le poète évoque une soirée où, au coucher du soleil, le son d'un violon réveille en lui l'image d'une femme aimée. Le pantoum (voir lexique) permet de transformer le poème en une forme fixe semblable à un prisme car la répétition des mêmes vers, tels des refrains, multiplie les éclairages sur une même réalité, l'affaiblissement des sentiments.

Le poème met en forme une **correspondance** entre un état d'âme nostalgique avec la nature, la religion et la musique – le parfum et le mouvement des fleurs sont ainsi rapprochés de ceux d'un encensoir. Un système de reflets permet de mieux rendre compte de l'unité du monde moral et du monde physique : « Le ciel est triste et beau comme un grand reposoir ; / Le soleil s'est noyé dans son sang qui se fige. » Le pantoum crée donc son propre système d'échos et de correspondances en multipliant les procédés analogiques.

Dans « Rêve parisien », le poète multiplie les évocations imagées pour suggérer son état mental : il rend alors sensible une hallucination produite par l'opium. Il semble comme **assister au spectacle que lui donne son esprit** et les images donnent à voir les différentes strates de son imaginaire. L'auteur pénètre dans les arcanes de son cerveau, nourri d'**impressions sensibles** : il bannit les images végétales, symboles de la perte dans un espace sylvestre ; de **références artistiques** (« peintre fier de mon génie »), d'images bibliques (« Babel »), mythologiques (« naïades ») et naturelles ; d'**aspirations à l'infini** : l'image des « flots magiques » ouvre l'horizon sur un espace illimité et permet d'introduire le thème du miroir produit par les « glaces éblouies », la mer où se reflète le ciel. Dans ces deux dernières citations, notons que la métaphore naît de l'attribution à l'objet inspirateur (« flots », « glaces ») de l'impression produite sur le poète.

Les exemples ci-dessus prouvent à l'évidence que ce projet exige le recours non à un procédé unique mais à un ensemble de moyens, **alliant les ressources de la rhétorique et de la métrique**. Ainsi, **le poème lui-même devient un objet littéraire**, composé de manière à entrer en correspondance avec le monde et établissant un système concerté de correspondances littéraires entre les images, les rythmes et les sons.

▪ Suggérer la connexion des sens

La pratique de la synesthésie

En établissant des correspondances verticales, le poète tente de remédier à la dualité de l'homme, fait de chair et d'esprit. Avec les correspondances horizontales, il suggère **les relations entre les cinq sens qui communiquent entre eux**. En effet, l'homme cumule différents modes de perception – il voit, il entend, il sent, il goûte, il touche. Or, le monde possède une unité profonde.

Illustration de la théorie des « correspondances », le sonnet « Correspondances » traduit sur le mode poétique l'absence d'étanchéité entre les types de perception. « **Les parfums, les couleurs et les sons se répondent**. » La synesthésie révèle l'unité des modes de perception sensible du réel. Mais le corps s'impose aussi comme le référent commun aux domaines de l'innocence et de la corruption morales ; en témoignent les tercets de « Correspondances » où les **comparaisons** mettent en perspective la pureté et la débauche à partir des sens : « Il est des parfums frais comme des chairs d'enfants, / Doux comme les hautbois, verts comme les prairies, / – Et d'autres, corrompus, riches et triomphants. » La syllepse de sens joue sur les sens propre et figuré de « corrompu » mis en relief par son détachement par la double virgule – alors que la diérèse ralentit le rythme sur « tri-omphants ». Ainsi tout est dans tout. Il ne s'agit pas de poursuivre une vaine et formelle activité semblable à la reconstitution d'un puzzle. Sur **un plan existentiel**, cette quête de la coïncidence entre le visible et l'invisible, l'apparence et l'essence, résulte de la volonté de vivre en conformité avec soi-même, en « correspondance » avec son être.

La pratique de l'allégorie, de la personnification et de l'emblème

L'allégorie est une figure de rhétorique qui **traduit une idée abstraite sous la forme d'un objet concret ou d'une créature incarnée**. Dans la section « Fleurs du mal », le texte « Allégorie » décrit une prostituée ; le titre commente le contenu du poème qu'il place dans un cadre plus vaste que ses limites formelles : en effet, cette « allégorie » rend visible une beauté charnelle. Elle défie la morale et la mort : elle se sait immortelle mais son amoralité n'est pas pour autant sacrilège car elle est aussi une créature divine. Ainsi, le texte tout entier développe, **à travers une image, une conception de l'esthétique**. De manière générale, le poète use de l'allégorie pour donner forme aux vices et aux influences qui tourmentent les hommes : « Dans nos cerveaux ribote un peuple de Démons. » (« Au lecteur »).

Les acteurs réels de la condition humaine, ce sont, entre autres mais par prédilection, l'Amour, le Temps et la Mort, que le poète interpelle dans nombre de ses poèmes. Ainsi, dans « L'amour et le crâne », Baudelaire représente l'Amour à la manière d'un petit Cupidon assis sur la tête de l'humanité et lançant des bulles de savon dans l'espace. Cette petite scène **donne à voir le processus même de la création poétique** : la passion dévore l'énergie vitale, l'intelligence de l'auteur. **La personnification rend possible le dialogue** entre le poète et le principe mortifère de son inspiration. Ainsi, la volonté de rendre concrètes les abstractions **favorise le recul critique** qui caractérise la modernité du poète : elle lui permet de se regarder et de se considérer avec **ironie**.

Très pratiqué à la Renaissance par les poètes de la Pléiade, l'**emblème** traduit, sur un mode métaphorique, une idée par un signe. Ainsi, à la faveur d'un jeu d'associations, dans « Le beau navire », Marie Daubrun devient la « femme navire ». Avec « Le masque », le poète fournit un emblème de la dualité, existentielle, ontologique et esthétique.

Les figures mythologiques

Baudelaire multiplie les références aux **figures mythologiques**, représentations concrètes de réalités abstraites, psychiques ou morales. Il affectionne tout particulièrement Cybèle, déesse primordiale de la Terre (*cf.* la cinquième pièce de « Spleen et Idéal », « Bohémiens en voyage »). Mais aussi les figures qui renvoient au **schéma de l'initiation** : l'adresse au lecteur invoque Satan, trismégiste, ou « trois fois grand », qualificatif réservé, d'ordinaire, à Hermès, dieu de la communication ; le transfert de « compétence » souligne le passage d'un contexte mythologique à un cadre chrétien. Le poète établit une correspondance entre la référence mythologique et le schéma initiatique, citons : « Sed non satiata », qui renvoie au Styx, fleuve des Enfers, et à Proserpine, déesse de ces lieux ; « Les chats » qui évoquent l'Érèbe et le sphynx (*cf.* aussi la pièce XXVII).

Dans « Alchimie de la douleur », Hermès apparaît comme le guide ambigu du poète : « Hermès inconnu qui m'assistes / Et qui toujours m'intimidas, / Tu me rends l'égal de Midas, / Le plus triste des alchimistes. » Avec ironie, l'auteur rapproche le poète qui affirme des prétentions d'alchimiste avec l'infortuné Midas. Ainsi, **l'universelle dérision** s'attaque aussi aux prétentions du créateur à dominer le mal en le transformant en principe dynamique – mais dérisoire – d'une esthétique promise à l'oubli, tôt ou tard.

Personnage célèbre de la mythologie, Midas reçut la faculté de transformer en or tout ce qu'il touchait, don qui se révéla bien peu pratique dans la réalité quotidienne. L'analogie s'impose à l'évidence : l'alchimie poétique est à la fois célébrée et située dans son cadre, fragile, comme le suggère l'image des « fleurs du mal ». Cependant, comme le remarque Baudelaire dans *De l'essence du rire*, le poète n'est jamais comique, son comportement n'est pas risible parce qu'il a conscience de ses limites. « Les artistes créent le comique ; ayant étudié et rassemblé les éléments du comique, ils savent que tel être est comique, et qu'il ne l'est qu'à la condition d'ignorer sa nature ; de même que, par une loi inverse, **l'artiste n'est artiste qu'à la condition d'être double** et de n'ignorer aucun phénomène de sa double nature. »

« Don Juan aux Enfers » réalise la synthèse entre plusieurs types de références mythiques : **don Juan** représente, en effet, un **mythe moderne** et Baudelaire l'imagine aux Enfers antiques; outre sa misogynie, l'auteur trahit son angoisse de la foule : don Juan est poursuivi par une horde de femmes mais il ignore l'amour tout en le méprisant. On s'en souvient, dans *Le Mythe de Sisyphe*, Albert Camus fera de don Juan une incarnation de l'absurde : le séducteur privilégie la quantité sur la qualité des relations humaines et sa quête n'aura jamais de fin. Dans *Les Fleurs du mal* aussi, la référence mythologique renvoie à la représentation de l'éternelle répétition : Sisyphe (« Le guignon ») incarne l'absurdité d'une tâche vaine et sans cesse recommencée.

Le bestiaire

Dans « Le cygne », le souvenir d'un oiseau exilé rappelle au poète des figures à la fois culturelles et exotiques : le cygne, Andromaque, la négresse, incarnent autant de figures de l'exilé, de l'homme qui a perdu sa patrie spirituelle. En effet, Baudelaire insiste sur les correspondances entre les différents plans de perception et de réalité. Le bestiaire fournit donc un important catalogue de représentations symboliques; il permet de **souligner les liens indéfectibles entre la chair et l'esprit**. Certes, dans l'adresse « Au lecteur » le poète énumère : « les chacals, les panthères, les lices, / les singes, les scorpions, les vautours, les serpents / [...] Dans la ménagerie infâme de nos vices ». Mais il se représente lui aussi en **albatros** incapable d'évoluer avec une quelconque aisance dans un monde médiocre.

En outre, Baudelaire reprend la figure biblique traditionnelle du serpent tentateur pour évoquer la démarche de Jeanne Duval : « Même quand elle marche on croirait qu'elle danse, / Comme ces longs serpents » (pièce XXVII ; voir aussi « Le serpent qui danse »). Dans le style macabre qu'il affectionne parfois, il ne répugne pas à tenter le jeu de mots pour évoquer le ver qui ronge les morts comme un remords (« Remords posthume » ou « L'irréparable »).

Dans « La géante », Baudelaire se fantasme en chat : « J'eusse aimé vivre auprès d'une jeune géante, / Comme aux pieds d'une reine un chat voluptueux. » Dans son univers, le félin règne en maître (« Le chat », « Les chats »). En effet, le chat incarne le secret mais aussi la sensualité ; il réunit les deux catégories du savoir et de l'érotisme dans une harmonie complexe et subtile. « Chat séraphique, chat étrange, / En qui tout est, comme en un ange, / Aussi subtil qu'harmonieux ! »

La rhétorique religieuse

Baudelaire exploite les ressources du **lexique** religieux. À cet égard, les titres de ses poèmes sont tout à fait révélateurs de sa quête du religieux : « Bénédiction », « Les litanies de Satan » ; « Réversibilité », « L'Irréparable », « De profundis clamavi », « L'aube spirituelle », « Harmonie du soir ». Mais ces références sont lisibles aussi à l'intérieur des poèmes dont elles inspirent les **champs lexicaux** dominants (ou ensemble de termes renvoyant à la même idée) et orientent la **composition**.

Ainsi, « Réversibilité » lance une supplique à la femme adorée, à l'ange qui pourrait accorder au poète la rédemption. Quant aux « Litanies de Satan », elles décalquent la formule litanique (répétitive) du *Miserere*, prière de la liturgie catholique par laquelle le croyant demande à Dieu de le prendre en pitié. Baudelaire, lui, invoque **Satan, figure emblématique du révolté** exilé, chassé. Reprenant des **refrains lancinants**, le texte s'achève sur des allusions détournées au « Notre père », prière chrétienne par excellence. Mais le **blasphème** n'est qu'apparent car, pour Baudelaire, Satan incarne aussi l'ange déchu, double de l'homme dont la douleur engendre la souffrance parfois rédemptrice.

Néanmoins, le poète use d'un **langage aisément provocateur**, comme en témoigne la violence qui s'exprime à la fin du « Vin de l'assassin » : « Je m'en moque comme de Dieu, / Du Diable ou de la Sainte Table ! » – autrement dit de l'autel où le prêtre répète les gestes les plus importants de la liturgie catholique, célèbre le mystère de l'eucharistie, l'incarnation du fils de Dieu. Le mauvais démon épuise les ressources du poète (« La destruction ») alors que Satan peut l'inciter à poursuivre sa révolte exigeante.

■ Établir des correspondances entre les arts

Les transpositions d'art

Dans son *Salon de 1846*, Baudelaire affirme que « le meilleur compte-rendu d'un tableau pourra être un sonnet ». Pour lui, le peintre romantique Delacroix compose ses toiles de manière à rendre visible ce qui existe mais que l'homme ne voit pas. Aussi l'auteur des *Fleurs du mal* exploite-t-il le procédé de la transposition d'art, cher au parnassien Théophile Gautier. « Les phares » évoque le style de différents artistes peintres ; les différentes strophes décrivent autant de tableaux pour converger vers le principe d'unité qui organise, secrètement, le monde : ils sont « un écho redit par mille labyrinthes ». « Une martyre » évoque aussi la figure étrange d'une femme, « dessin d'un maître inconnu ».

Pour Baudelaire, la critique artistique est une métaphysique esthétique car toute représentation repose sur une interprétation du réel. Aussi, réalisant la démarche inverse et complémentaire du critique, le poète des *Fleurs du mal* transpose-t-il souvent son état d'esprit en un spectacle allégorique, emblématique d'une maladie de l'âme.

Ainsi, l'espace parisien matérialise certaines dispositions mentales du poète. Notons que la section qui évoque la ville moderne s'intitule : « Tableaux parisiens » et donc inscrit la description de Paris dans un cadre artistique. « Le cygne » plante le décor d'un espace-temps poétique où se surimposent la capitale moderne et les figures littéraires que les monuments rappellent au poète – dont les errances annoncent les déambulations des surréalistes en quête de « hasards objectifs ».

La parole poétique trouve une forme d'énergie dans la contemplation des autres formes d'art car l'œuvre de génie possède une force où le poète puise, en partie, son énergie. Ainsi, dans « Les phares », il évoque différents peintres ainsi que leurs styles ; mais, en dépit des différences, toutes les œuvres constituent, au-delà du bien et du mal, un hymne à la création :

> « Ces malédictions, ces blasphèmes, ces plaintes,
> Ces extases, ces cris, ces pleurs, ces Te Deum
> Sont **un écho redit par mille labyrinthes** ;
> C'est pour les cœurs mortels un divin opium ! ».

La vérité n'existe pas en soi dans le monde humain ; mais il s'avère possible de l'entrevoir en passant par « mille labyrinthes », autrement dit les œuvres d'art qui reprennent en « écho » et se font écho pour laisser entrevoir l'unité cachée du monde et aider les hommes à supporter l'existence (« un divin opium »). Ainsi, la parole du poète représente une forme d'expression de l'unité universelle.

La littérature comme système de référence en échos

Les Fleurs du mal multiplient les références esthétiques : pour l'auteur, en effet, la **littérature latine de la décadence** fait une violence à la langue poétique semblable à celle qu'engendre dans le cœur du poète la prostitution des êtres et des cœurs. Ainsi, « Sed non satiata » se réfère à une satire où Juvénal évoque les amours marginales de la célèbre Messaline. « Franciscæ meæ laudes » est écrit en latin et chante sur un mode humoristique les charmes d'une jeune femme prénommée Françoise, en reprenant le schéma prosodique d'un chant religieux, « Dies irae » (ou Dieu de colère), entonné à l'office des morts… « Mœsta et Errabunda » (mot à mot : « triste et vagabonde ») évoque une certaine Agathe, une fille fréquentée par l'auteur. Cependant, dans « Horreur sympathique », il ne veut pas s'identifier à Ovide, poète exilé par Auguste pour une raison obscure. En effet, Baudelaire refuse de gémir sur son sort, même s'il s'estime lui-même chassé de sa patrie spirituelle.

S'il joue sur les références littéraires antiques, ravalant ainsi les modèles classiques au statut de rhétoriciens, Baudelaire trouve **des frères d'élection dans la littérature moderne**. En effet, il se réfère à Dante ou Pétrarque, pour qui la femme aimée joue le rôle d'une médiatrice (« L'amour du mensonge ») ; mais les poètes italiens cherchent en vain la femme idéale, et le poète, lui, ressemble à Hamlet, personnage du dramaturge anglais Shakespeare (« La Béatrice »). nous pourrions citer encore des références à Goethe et Marguerite (« Sonnet d'automne ») ainsi qu'à Balzac (« Une martyre »). Mais la place manque pour énumérer et analyser ces allusions qui contribuent à tisser un réseau de correspondances esthétiques complexes et font du recueil le témoin d'une culture, celle du poète et de ses contemporains.

■ Instaurer un dialogue

La structure dialoguée des **Fleurs du mal**

Comme nous l'avons vu (*cf.* pp. 34-35), Baudelaire compose son recueil de manière à **produire un effet**

moral sur son lecteur. Aussi noue-t-il un dialogue avec ce double, ce complice que représente son lecteur. Baudelaire utilise volontiers la majuscule pour évoquer la figure du poète – comme s'il se dissociait lui-même de l'auteur, du créateur qu'il est, afin de mieux établir une dynamique née du recul critique et ironique. Le poète remplit la mission de médiation que lui impose la dualité de l'homme et la Chute. Dans « Bénédiction », Baudelaire évoque avec nostalgie la relation symbiotique que l'enfant noue avec le monde. Le poète, lui, doit utiliser les mots. Mais, en fait, se résoudre à l'écriture équivaut à reconnaître la faillite de la communication immédiate.

La structure dialoguée implique l'usage de l'apostrophe, que nous retrouvons, de manière significative, dans l'adresse « Au lecteur » mais aussi dans l'ultime strophe du dernier poème du recueil. Cependant, la structure dialoguée permet aussi de ne pas conclure, de continuer à ouvrir un dialogue sans conclure.

Le poète alchimiste et ses interlocuteurs

Avec qui le poète dialogue-t-il ? avec le lecteur ou l'homme en général (« L'âme du vin); parfois, il se parle à lui-même ou se trouve des confidents mystérieux, tel le chat, ou macabres, tel le tombeau personnifié de « Remords posthume » : « Car le tombeau toujours comprendra le poète. »

Mais, le plus souvent, il s'adresse à la femme aimée. Exploitant **la mode fantastique**, il se présente comme **un possédé vampirisé** par une passion dévorante vouée à la « Lune de [sa] vie » (« Le possédé »). Mais, comme les poètes de la Renaissance, il écrit des sonnets à celles qui lui seront redevables de passer à la postérité. Ainsi, la pièce XXXIX s'ouvre sur un envoi : « Je te donne ces vers [...]. » Les poèmes à Mme Sabatier prennent parfois la forme d'une lettre reproduisant un dialogue, comme « Semper eadem ».

Il use par prédilection de la synecdoque, figure rhétorique consistant à dire le tout pour la partie, et inversement. Il serait fastidieux de produire, ici, un répertoire des différentes apostrophes adressées aux femmes aimées. Souvent, il reprend un motif obligé de la rhétorique amoureuse en célébrant les yeux de sa bien-aimée : « mon âme » « Étoile de mes yeux, soleil de ma nature, / Vous, mon ange et ma passion ! » (« Une charogne »), « Charmants Yeux » (« Le flambeau vivant »).

Mais il trouve aussi des expressions plus originales : Jeanne Duval est la « chère indolente » (« Le serpent qui danse »), ou la « belle ténébreuse » (« Remords posthume ») ; Mme Sabatier est la « Mère des souvenirs, maîtresse des maîtresses » (« Le balcon ») ; Marie Daubrun est la « majestueuse enfant » (« Le beau navire ») ou l'« adorable sorcière » (« L'irréparable »).

Habile rhétoricien, **Baudelaire maîtrise à la perfection les figures de style** : apostrophes, antithèses, hyperboles, énumérations, autant de procédés qui ont inspiré à ses contemporains un rapprochement entre l'auteur des *Fleurs du mal* et un dramaturge en vers du vice humain – souvenir de cette « comédie humaine » dont il admirait l'auteur, l'immortel Balzac.

4 - LE VERS DANS *LES FLEURS DU MAL*

■ Une adaptation personnelle des formes métriques fixes

Dans *Les Fleurs du mal*, Baudelaire met en forme une vision du monde à la fois **analogique et fragmen-**

tée. Cette dualité permet de concilier une **vision du monde** inspirée par la quête de l'unité et une **démarche d'un moraliste** adepte de la démystification critique. En effet, le poète ne donne pas de leçons et, pour mieux suggérer sans appuyer le trait, il privilégie les formes courtes : elles lui fournissent le moyen d'éclairer, par touches signifiantes, une réalité dont il veut évoquer la dimension secrète.

Dans ce recueil, l'auteur privilégie les **poèmes à formes fixes**. Mais, comme Victor Hugo, il use d'un alexandrin assoupli. Par tradition, le sonnet constitue une forme fixe : il se compose de deux quatrains (quatrain = strophe de quatre vers, pas obligatoirement des alexandrins) et de deux tercets (tercet = strophe de trois vers). Ce redoublement des strophes est censé, suivant une tradition interprétative, favoriser le dialogue – entre les différents états du « moi » du poète, qui évolue au cours du temps, mais aussi entre l'auteur et ses inspiratrices; parfois, le texte multiplie les échanges, tel le sonnet XLII :

> « Que diras-tu ce soir, pauvre âme solitaire,
> Que diras-tu, mon cœur, cœur autrefois flétri,
> À la très belle, à la très bonne, à la très chère,
> Dont le regard divin t'a soudain refleuri ? »

À l'attaque du début des deux premiers vers, le premier quatrain du sonnet s'ouvre sur une anaphore (reprise de la même structure syntaxique et des mêmes mots) par laquelle le poète s'apostrophe, en fait, lui-même; les deux synecdoques, « pauvre âme » et « cœur », désignent le poète, qui se présente comme un être dépourvu d'unité personnelle mais qui anticipe son dialogue futur avec sa bien-aimée.

Ensuite, il évoque la femme aimée, en l'occurrence Mme Sabatier, par le biais d'une nouvelle anaphore appuyant une série de superlatifs (« très belle », « très bonne », « très chère ») selon une progression ternaire. Comme le montre cet exemple, Baudelaire recourt souvent à des coupes typiques de la métrique romantique, qui affectionne **le découpage de l'alexandrin en trois mesures de quatre syllabes** – et non en deux hémistiches de six syllabes séparés par une césure, comme le pratiquaient les poètes classiques. En outre, dans notre exemple, à la coupe, l'élision du « e » muet devant la voyelle ménage une courte pause entre les trois mesures rythmiques et introduit des coupes internes dans un alexandrin composé de mots monosyllabiques. La poésie baudelairienne ouvre la voie à l'évocation afin de **produire un trouble puissamment suggestif**.

Analysant l'esthétique de Baudelaire, Claude Roy définit ainsi le principe de sa création : **le poète partirait d'un schéma très classique pour mieux le détourner**, tel le musicien qui enrichit son thème de départ d'harmoniques complexes, ou tel le peintre retouchant sa toile où la radiographie moderne détecte les couches successives, témoins de repentirs nombreux. « Le "premier état" d'un poème de Baudelaire, "*peintre de la vie moderne*", c'est souvent une construction en vers qui n'a rien, précisément, de moderne. On a suggéré qu'il y avait chez Baudelaire un "côté Boileau" (il faudrait ajouter : l'alexandrin baudelairien, c'est celui de l'*Art poétique* ou des *Embarras de Paris* éclairé par les reflets de flammes pourpres de l'univers de Delacroix). »

▪ La véritable poésie se moque de la versification (?)

Baudelaire ne supporte pas l'emphase rhétorique hugolienne ; il se montre très sévère vis-à-vis des effusions lyriques. Pour lui, l'art exige un travail de mise en forme minutieux. Cependant, il ne considère pas pour autant, comme pouvaient le faire les classiques au XVIIe siècle, que le respect d'un code purement formel puisse constituer un critère déterminant dans l'élaboration d'une œuvre.

En fait, Baudelaire convoque toutes les formes poétiques disponibles depuis la Renaissance et c'est précisément parce qu'il parvient à les synthétiser dans un ensemble, le recueil des *Fleurs du mal*, qu'il dépasse tous les principes formels. Il les exploite tous et ne s'inféode à aucun. Il emprunte à la tradition française mais ne néglige pas les formes plus exotiques, tel le pantoum – qu'il adapte à son propos.

En effet, **l'écriture des poèmes à formes fixes**, dans *Les Fleurs du mal*, **est contemporaine de la rédaction des poèmes en prose** réunis sous le titre de *Petits Poèmes en prose*. Ces deux recueils partagent la même inspiration, traitent souvent les mêmes thèmes et, parfois, Baudelaire donne une version en prose d'un poème en vers – comme « L'invitation au voyage » ou « La chevelure » rebaptisée « Hémisphère dans une chevelure ». Pourquoi? si ce n'est parce que, pour Baudelaire, la démarche prime sur le recours à la versification : on n'écrit pas un poème parce qu'on sait compter le nombre des syllabes formant un alexandrin mais parce qu'on est inspiré.

En effet, c'est l'impression globale qui gouverne le choix d'une forme, fixe ou libre. Ainsi, dans *Les Fleurs du mal* et dans *Petits Poëmes en prose*, Baudelaire réalise **des variations, en vers et en prose**, sur les mêmes thèmes : l'horloge, les chats, la chevelure, l'invitation au voyage, constituent ses « thèmes » de prédilection. Du poème rimé au texte en prose, l'auteur passe **du suggestif au descriptif** pour établir un dialogue différent avec son amante, son lecteur ou lui-même. Ainsi, dans *Les Fleurs du mal*, « L'invitation au voyage » procède par touches rapides et successives ; le refrain envoûtant rythme le progrès d'une évocation toujours éclairée d'une lumière différente à la manière de vitraux décomposant le prisme solaire. Dans *Petits Poèmes en prose*, le poète cherche à convaincre de ce dont il semblait assuré dans son texte en vers ; tout se passe comme si, en critique d'art, il intégrait dans son œuvre ses propres interrogations et les différentes phases de son élaboration.

3

THÈMES

Sorte d'autobiographie fragmentée, *Mon cœur mis à nu* s'ouvre sur le constat suivant : « De la vaporisation et de la centralisation du *Moi*. Tout est là. » **Le poète souffre de sa propre inconsistance** et de son impuissance à trouver un lieu où vivre en harmonie avec lui-même. Rien ne lui « correspond ». Aussi cherche-t-il à **construire son identité en rendant un culte à une beauté exigeante et idéale**. Il tente de transformer sa nature imparfaite en cultivant un dandysme qui ne se limite pas aux apparences mais rend visible une démarche éthique.

Le poète baudelairien éprouve un **ennui existentiel** qui se nourrit de son impuissance à se préserver des influences extérieures. Il se laisse aisément tenter par le mal et sa faiblesse lui inspire un dégoût de lui-même. Mais il se sert aussi de cette souffrance pour affiner son intuition d'une beauté inaccessible. En effet, si le mal peut donner des fleurs, il possède une vertu, au sens étymologique du terme (du latin *virtus*, « énergie virile, force »). **Le poète utiliserait cette énergie, du désespoir même, pour approcher son idéal esthétique**. Sa quête du beau s'alimente aux deux sources de la quête ésotérique et de la rigueur calculée.

Dans son *Tombeau de Baudelaire*, Pierre Jean Jouve considère **le thème du mal comme central** dans l'œuvre de Baudelaire. En effet, il se trouve au principe même d'une **création dont la vérité tient à la conscience du mal métaphysique** et la spiritualité à la lutte contre la tentation toujours présente. **Baudelaire ne « choisit » pas le mal; il cultive l'instabilité** en conjuguant la quête de l'idéal et la pratique de l'ironie. Ne dissociant pas le bien du mal, **il maintient la contradiction tragique** qui, seule, instaure une dynamique féconde, entre le spleen et l'idéal, le bien et le mal; cet échange douloureux rend possible la quête de l'esthète alchimiste qui se sert de l'énergie de la révolte pour atteindre l'absolu. Ainsi s'impose ce principe dynamique d'une œuvre qui exploite le potentiel énergique du mal : la passion charnelle devient l'instrument d'une quête de l'idéal parce qu'elle rend le poète conscient de ses limites tout en renouvelant son inspiration.

1 - LE POÈTE : ORGUEIL ET SOUFFRANCES

■ L'orgueil et l'humiliation du poète

Les Fleurs du mal donnent comme complémentaires et indissociables l'orgueil et l'humiliation du poète. En effet, l'écrivain doit remplir une mission dont il connaît l'exigence et **il se sait désigné pour remplir sa fonction**. Les trois premiers textes de la section « Spleen et Idéal » le présentent comme l'élu de Dieu : « Bénédiction » prend l'allure d'une Annonciation inversée à la mère du poète. Elle le maudit mais il possède une conviction inébranlable qui lui donne la force de poursuivre sa mission en dépit même des imprécations et de la haine de sa propre mère :

« Je sais que vous gardez une place au Poète
Dans les rangs bienheureux des saintes Légions,
Et que vous l'invitez à l'éternelle fête
Des Trônes, des Vertus, des Dominations. »

Il doit donc d'abord posséder et conserver la foi en lui-même. En fait, **c'est lui qui bénit le nom de Dieu** et le remercie de lui donner la douleur en héritage car elle le désigne comme un être fort, prêt « aux saintes voluptés ».

Les majuscules soulignent le recours à l'allégorie qui situe le propos de Baudelaire sur un plan général : **le Poète ne s'identifie pas au seul auteur des *Fleurs du mal*; il incarne le principe poétique** qui est d'origine spirituelle car le poète tient de Dieu son pouvoir : il est un combattant (« Légions ») de l'absolu et il possède une puissance (« Trônes »), une morale (« Vertus), une autorité (« Dominations ») supérieures.

Le Poète se régénère dans son contact avec le spirituel. Aussi parvient-il à **s'encourager lui-même à la résistance** contre les médiocres et à l'élévation spirituelle. En témoigne « Élévation » où, usant de la synecdoque (*cf.* définition p. 64), le poète s'adresse à son propre esprit :

« Envole-toi bien loin de ces miasmes morbides;
Va te purifier dans l'air supérieur,
Et bois, comme une pure et divine liqueur,
Le feu clair qui remplit les espaces limpides. »

Comme le romantique, le poète baudelairien souffre d'un **manque de communication** avec ses semblables, qui le méprisent car il les renvoie à leurs propres insuffisances. Cependant, et là Baudelaire se distingue de ses prédécesseurs, le poète doit aussi humilier sa pensée : son intelligence du monde repose sur la conscience humble de ses propres limites.

■ Une modestie nécessaire à la création

« Châtiment de l'orgueil » s'inspire d'une anecdote rapportée dans une chronique du XIIIe siècle pour édifier les fidèles ; le poème raconte, sur un mode descriptif, la punition subie par un théologien qui perdit la parole après avoir eu la prétention d'égaler le Christ, voire de lui être supérieur. **Nul ne saurait détenir la vérité, sinon Dieu**.

La morale vaut pour le poète mais aussi pour tous les théoriciens et, notamment, les économistes et les politiciens, car la source de Baudelaire n'est autre qu'un article d'un certain Saint-René Taillandier qui rappelait l'anecdote médiévale pour ramener Proudhon, théoricien socialiste, à plus de modestie. Ainsi, l'orgueil et l'humiliation forment couple et fonctionnent de manière complémentaire dans l'œuvre de Baudelaire. « Qui veut faire l'ange fait la bête », disait déjà le philosophe tragique Pascal. L'auteur des *Fleurs du mal* se situe dans la continuité de ces propos : **celui qui usurpe la transcendance perd tout pouvoir de s'exprimer**.

Donc, le mépris du vulgaire doit ramener le poète à la modestie nécessaire à l'humilité. À l'inverse du romantique, le poète baudelairien ne doit pas trouver dans une solitude narcissique l'instrument de son endurcissement dans l'orgueil.

Aussi, même s'il la déplore, l'indifférence méprisante de ses contemporains contribue-t-elle à la création d'un poète qui puise son inspiration dans la douleur. Cependant, Baudelaire regrette que le créateur ne puisse être totalement désintéressé car, acculé à la misère, le poète se trouve parfois contraint de prostituer sa muse – « La muse vénale ». Or, pour lui, le poète se trouve comme investi d'une **mission supérieure qui lui impose le devoir de charité mais aussi le devoir de gratuité et de création**.

▪ Le spleen baudelairien

Mouvement littéraire européen, le romantisme traduit une crise de conscience générale, une remise en question des anciennes valeurs. Aussi **le poète romantique éprouve-t-il un mal de vivre caractéristique de toute une génération**. Déjà, au XVIIIe siècle, Rousseau oppose à la raison, systématique et desséchante, les nuances de la sensibilité : le cœur devient le moyen de trouver une vérité intérieure. Pour les premiers romantiques, le mal de vivre inflige une souffrance physique et un tourment moral. Il résulte d'un désir nostalgique : l'âme se trouve comme exilée dans un monde peuplé d'étrangers avec qui on ne communique pas.

Si l'on consulte un dictionnaire d'anglais, le mot **spleen** traduirait un accès de bile noire, de mauvaise humeur typique de l'atrabilaire tel que le décrit Molière dans *Le Misanthrope*. Importé en France à la fin du XVIIIe siècle, le terme désigne, au XIXe siècle, **une forme de neurasthénie, de mélancolie causé par les variations atmosphériques**. Pour Baudelaire, le spleen désigne une maladie de l'âme tourmentée par une insatisfaction permanente : cette souffrance vient du sens du péché. Donc, le spleen baudelairien constitue **une expérience du temps et de l'espace**.

Il exprime la lassitude du poète devant le **vide** qui l'environne et que lui-même recèle, mais aussi l'impression de **pesanteur** qui l'étouffe. Dans « Brumes et pluies », il évoque cette dualité des conditions atmosphériques qui agissent sur son état d'esprit : l'automne et l'hiver préparent à la mort un auteur comme apaisé et consentant. « Endormeuses saisons ! je vous aime et vous loue / D'envelopper ainsi mon cœur et mon cerveau / D'un linceul vaporeux et d'un vague tombeau. » De manière générale, le spleen constitue une **expérience négative de la perte des repères**, de la descente cauchemardesque dans un gouffre sans fond, semblable à l'« univers morne à l'horizon plombé » (« De profundis clamavi ») où sombre le cœur du poète méprisé de sa bien-aimée.

Dans la série des quatre poèmes consacrés au spleen, Baudelaire commence par décrire l'impression produite en lui par l'humidité d'un jour de février ; la pièce LXXV exploite la thématique de la déliquescence pour mieux souligner la sensation paradoxale de « vide pensant » – en témoigne la présence d'une « vieille hydropique » dans le deuxième tercet. « Spleen 1 » évoque donc **l'atmosphère** d'un jour de pluie. « Spleen 2 » identifie le moi à **un espace où, au cours du temps, sont rassemblés des objets hétéroclites** : l'auteur évoque le souvenir de son enfance pour mieux fournir une représentation emblématique de son propre cerveau : cette fois, c'est le temps, la mémoire, qui pèsent sur la liberté d'esprit. « J'ai plus de souvenirs que si j'avais mille ans. » L'hyperbole ou exagération de l'expression traduit l'impression d'être le résultat de toute une évolution culturelle qui se traduit à travers des images macabres : « Je suis un cimetière abhorré de la lune » ; cette identification de l'espace mental à un cimetière fige le principe poétique dans la matière, dans la pierre : « Désormais tu n'es plus, ô matière vivante ! / Qu'un granit entouré d'une vague épouvante. » Ensuite, « Spleen 3 » rappelle **l'ennui existentiel**, au sens pascalien du terme alors que « Spleen 4 » revient à la description d'un Paris pluvieux et pesant. En somme, l'ennui présente le moi comme poreux aux influences extérieures.

L'ennui existentiel du poète : une expérience du temps

L'expérience du spleen traduit la conception tragique de la condition humaine évoquée par Pascal dans ses *Pensées*. Qu'est-ce donc que l'ennui ? L'étymologie du mot « ennui » fait de ce terme un dérivé du verbe « *inodiare* », lui-même issu de la locution « *in odio esse* », « **être un objet de haine** ». Dans son acception classique, le terme « ennui » revêt plus d'intensité que de nos jours. Qu'est-ce que Baudelaire déteste autant ? sans nul doute lui-même, comme en témoignent les attaques, ou débats, des poèmes centraux de la série consacrée au spleen ; tous les deux définissent le « moi » du poète en référence au temps (LXXVI, Spleen 2) et à l'espace (Spleen 3) : « Je suis comme le roi d'un pays pluvieux ». En fait, **le poète ne se supporte pas** : le spleen révèle son impuissance à trouver en lui un recours contre l'influence délétère du climat. Il n'a pas d'énergie et l'ennui représente une **expérience du temps et de la privation d'être**.

Dans l'adresse « Au lecteur », l'ennui, personnifié, incarne le monstre que l'humanité nourrit en son sein mais qui la dévore en lui inspirant le goût du vice et de la cruauté. Dans un monde « ennuyé » par définition (« Bénédiction »), le poète est d'abord isolé puis il sent peser sur lui « les ennuis et les vastes chagrins » (« Élévation »). Les meilleurs alliés de l'ennui sont la **femme impure** – (« XXV ») ; « Tes yeux sont la citerne où boivent mes ennuis. » (« Sed non satiata ») – ; **la passion** vécue comme une possession destructrice – (« Le possédé ») ; et le sentiment de la perte, physique et morale – (« La destruction »).

Tel l'antique dieu Cronos, qui dévore ses enfants, **le temps baudelairien vampirise les forces du poète** :

« Noir assassin de la Vie et de l'Art, / Tu ne tueras jamais dans ma mémoire / Celle qui fut mon plaisir et ma gloire. » (« Le portrait »). L'auteur tente de résister à cette atteinte à son identité et invite le lecteur à toujours se souvenir de cette action du temps sur l'homme : « Souviens-toi que le Temps est un joueur avide. » (L'horloge »). Le temps a donc partie liée avec la déchéance de l'homme et donc **le spleen, conséquence d'une nostalgie de l'idéal** désormais inaccessible par l'homme, corrompu et débauché. Dans l'expérience mélancolique du spleen, le temps se dilate à l'infini pour mieux effacer tous les repères – ou se contracte pour mieux peser sur la conscience et le cœur du poète.

Enfin, le dernier texte de la série élargit la perspective en généralisant le cas pathologique du poète à l'ensemble de la condition humaine. **Le spleen résulte d'un ennui existentiel lui-même causé par l'angoisse de la mort et du néant**. En dépit du son des cloches, qui évoque l'appel des églises, donc de la religion, l'homme ne trouve pas de recours contre sa crainte de la destruction car son existence tout entière constitue une lente descente vers le néant – en témoigne le dernier tercet, qui développe la vision d'un défilé de corbillards pour évoquer le train de la vie. Ainsi, en filigrane, l'ennui renvoie l'homme à la difficulté de faire son salut s'il ne réagit pas contre sa propre inconsistance.

▪ L'alchimie poétique contre la faiblesse du poète

La création exige une conscience de ses limites personnelles ainsi que du caractère limité de sa propre création. En effet, **s'il se renferme en lui-même, le poète ne trouve que le vide** de l'ennui. L'adresse « Au lecteur » ouvre le recueil sur le constat d'une insuffisance : le poète est soumis à la dure loi du temps mais plus encore à **l'inertie d'une volonté absente**.

Ainsi, **le poète doit agir pour lutter contre sa propension** à la paresse et à l'arrogance, autant de maladies de l'âme qui affaiblissent le créateur. Dans ses poèmes consacrés à la muse, Baudelaire donne une description, en filigrane, de **l'inspiration toujours liée, chez lui, à la force de la jeunesse et à la santé** (« La muse malade »).

L'inspiration authentique trouve sa force dans l'énergie spirituelle et sa forme dans la musique. En effet, **l'art peut pallier son manque d'énergie personnel** : les œuvres de génie insufflent de la force à ceux qui les admirent mais aussi à ceux qui les créent. Elles expriment l'énergie d'une volonté à la fois contrainte et libre : « Liberté et fatalité sont deux contraires; vues de près et de loin, c'est une seule volonté », affirme Baudelaire dans ses *Conseils aux jeunes littérateurs*.

Même s'il a le pouvoir de comprendre « sans effort / Le langage des fleurs et des choses muettes ! » (« Élévation »), le poète ne pourra jamais exprimer toute la richesse d'un monde promis à la disparition. **Cette limitation, cette condamnation à une tâche épuisante et sans cesse recommencée, semblent définir le « guignon »** bien plus qu'une fatalité condamnant le créateur à une stérilité définitive :

> « Mainte fleur épanche à regret
> Son parfum doux comme un secret
> Dans les solitudes profondes. »
>
> « Le guignon ».

La métaphore florale souligne la fragilité de la beauté secrète et la difficulté à pratiquer l'alchimie poétique. La fleur symbolise la conscience de la précarité mais aussi le processus de renouvellement d'une végétation qui se nourrit de la décomposition organique. En effet, **l'angoisse de la pourriture** revient de manière récurrente dans *Les Fleurs du mal*. Dans « Une charogne », la carcasse en décomposition ressemble à une fleur en plein épanouissement; « Remords posthume » anticipe la dissolution du corps rongé par la vermine. Ainsi, le motif floral souligne la difficulté à matérialiser les « fleurs nouvelles » (« L'ennemi »), celles dont rêve le poète à la recherche d'émotions fortes, d'une « fleur qui ressemble à [son] rouge idéal » (« L'idéal »). Mais la difficulté ne saurait rebuter **un créateur qui puise dans le mal** même un remède contre le mal et défie la mort en l'appelant, comme en témoigne le « Mort joyeux » :

> « Je hais les testaments et je hais les tombeaux ;
> Plutôt que d'implorer une larme du monde,
> Vivant, j'aimerais mieux inviter les corbeaux
> À saigner tous les bouts de ma carcasse immonde. »

Le macabre devient une défense contre la certitude de subir les effets de la putréfaction. En somme, le poète doit tenter de capter les rayons d'une beauté qui ne se matérialisera jamais mais ne peut être approchée, ici-bas, qu'à travers son reflet, la femme, et par le biais d'un miroir, la poésie.

2 - LA QUÊTE DE LA BEAUTÉ IDÉALE

■ Qu'est-ce que la beauté ?

Le poète définit la beauté par une double caractéristique : **son essence divine et ses manifestations historiques, donc sa modernité**. Il assimile le concept de beauté avec un absolu métaphysique. Il distingue donc la notion de beau, en soi, de ses réalisations historiques.

« **Le beau est fait d'un élément éternel, invariable**, dont la quantité est excessivement difficile à déterminer, **et d'un élément relatif**, circonstanciel, qui sera, si l'on veut, tour à tour ou tout ensemble, l'époque, la mode, la morale, la passion. »

« La modernité », dans *Le Peintre de la vie moderne*.

L'idéal esthétique s'incarne dans le verbe poétique à la faveur d'une démarche morale, qui s'effectue dans le respect des deux dimensions, métaphysique et humaine, du beau. Qu'est-ce que la modernité selon Baudelaire ? Rien d'autre que **l'expression historique du beau propre à une époque donnée**.

« **La modernité, c'est le transitoire**, le fugitif, le contingent, la moitié de l'art, dont l'autre moitié est l'éternel et l'immuable. »

Op. cit.

Dès lors, le « peintre de la vie moderne » parvient à maintenir ensemble les deux aspects du beau : il sait « dégager de la mode ce qu'elle peut contenir de poétique dans l'historique, **tirer l'éternel du transitoire** ». Mais il demeure conscient de son impuissance à atteindre le sublime de manière définitive. Le poète conserve un recul ironique vis-à-vis de lui-même.

La beauté peut se comparer au mystère féminin, qui permet d'approcher le mystère recelé par le monde invisible. La femme ignore le principe, la source, de sa propre beauté. Elle éclaire le poète mais elle lui renvoie seulement la lumière qu'elle reflète – ainsi s'explique, dans *Les Fleurs du mal*, la récurrence du motif du reflet associé au thème de la lumière : « Tes yeux, illuminés ainsi que des boutiques [...] Usent insolemment d'un pouvoir emprunté, / Sans connaître jamais la loi de leur beauté » (pièce XXV). Inspirés par Jeanne Duval, ces vers synthétisent l'approche baudelairienne d'une beauté qui s'encanaille, comme le confirme la prosaïque comparaison en forme : « ainsi que des boutiques ». Mais la femme ne fournit qu'une représentation éphémère de la beauté éternelle dont la mulâtresse possède l'insolence. La créature charnelle « emprunte » le pouvoir d'une beauté supérieure, dont l'essence divine n'est accessible à l'homme que par l'intermédiaire de ses miroirs et de ses images.

Comment capter le reflet de cette inaccessible beauté ? C'est bien là le devoir moral du poète : il se donne la tâche d'abstraire **la « loi » de la beauté** : « Ô beauté, dur fléau des âmes, tu le veux ! » (« Causerie »). Le mot **loi** est à prendre au sens d'impératif mais aussi de rapport à établir entre les êtres et les choses, entre les sens et le sens, entre les idées et les mots. Ainsi, ni l'intuition ni l'imagination ne suffisent pour pratiquer la difficile alchimie poétique. Alors que la femme incarne une fascinante beauté sans la connaître, le poète doit essayer d'en dégager les lois et la morale – position qui justifie l'analogie permanente entre le poète et le théologien, savant exégète des écrits religieux.

Le poète ne saurait, malheureusement, trouver la formule idéale et applicable dans tous les cas pour parvenir à la beauté. Sa démarche, donc, prime sur les composants, sur les sujets et les questions de métrique qui préoccupent les auteurs obsédés par des préoccupations formelles. S'il existe, néanmoins, une définition baudelairienne de la beauté, elle renvoie à **la perception de l'unité et à la suggestion de l'harmonie**. En effet, le paradis s'identifie, pour Baudelaire, à l'espace de la transparence et de l'immédiateté.

La beauté s'identifie aussi à la santé de la jeunesse et à la liberté dans une nature idyllique et féconde, telle la Cybèle antique, robuste et puissante, qui semble incarner une des figures de la muse. On le voit, la nature n'est pas, en soi, toujours honnie par le poète. Elle peut posséder, elle aussi, la candeur simple de l'enfance.

Sans doute Baudelaire pense-t-il, comme Rousseau, que **rien n'est beau que ce qui n'existe pas** ; donc, la beauté ne saurait être atteinte mais seulement approchée, à la faveur d'une démarche parfaitement gratuite qui consiste à chercher, toujours et encore, à se dépasser. Mais **le poète croit que la beauté vaut bien les efforts déployés pour elle**. Le poète fonde son esthétique sur une discipline morale : il se doit de rendre un culte à la beauté, divinité tyrannique, impossible à atteindre mais d'autant plus adorable qu'elle figure la notion d'infini dans l'ordre de l'humain – et non plus selon la religion.

La recherche de l'auteur ne saurait s'achever : elle exige une perpétuelle tension de ses facultés vers **un absolu par définition inaccessible** : la morale du poète relève de sa démarche, du respect de ses principes personnels et non de ses sujets ou de la simple observation des règles rhétoriques. Ainsi, l'artiste alimente son œuvre de sa substance, de sa passion et de son énergie personnelles.

■ La mise en forme symbolique d'une vision du monde artiste

Tel l'artisan, Baudelaire se forge une technique à la faveur d'une réflexion critique permanente sur les peintres et les musiciens de son époque. Ainsi, la poésie établit un système de correspondances non seulement entre l'idéal et la réalité mais aussi entre les différents arts. La parole poétique, elle aussi, se définit par son aptitude à **établir un système d'échos entre les êtres et les choses pour éclairer les rapports qu'ils entretiennent** car l'être, en soi, reste indéfinissable. Dans *L'Œuvre et la vie d'Eugène Delacroix*, Baudelaire définit ainsi sa vision du monde :

> « Tout l'univers visible n'est qu'un magasin d'images et de signes [...] »

Pour lui, comme pour Balzac, qu'il admire, tout est langage : chaque détail possède une signification et entre dans un cadre plus général dont le poète possède l'intuition.

▪ La beauté : inaccessible et misérable

« Spleen et Idéal » offre une représentation complexe de la beauté. Dans le premier sonnet, la beauté prend la parole à la première personne du singulier pour défier le poète. En effet, elle se définit elle-même en exploitant le champ lexical du minéral : « un rêve de pierre », « un sphinx incompris », « fiers monuments ». Mais cette figure de l'implacable harmonie ne propose pas pour autant un modèle statique, aisé à calquer. En effet, le refus du mouvement et de l'émotion ainsi que la revendication d'une pureté virginale aboutissent à l'image du miroir. Ainsi, la beauté n'éclaire pas, ne guide pas le poète ; elle lui présente de « **purs miroirs qui font toutes choses plus belles** ».

Comment comprendre la dernière strophe ? Deux interprétations complémentaires peuvent être produites. D'une part, les « larges yeux aux clartés éternelles » de la beauté renvoient au poète une image déformée du réel : elle demeure **insaisissable** et sa lumière fallacieuse parce que l'éternité n'est pas à la mesure de l'humain. D'autre part, le poète, fasciné, projette sur le miroir du beau sa propre vision du monde – donc **toute représentation du beau est subjective et éphémère**.

Cependant, dans le poème suivant, Baudelaire relève le défi. Il prend à son tour la parole pour rejeter les images mièvres d'une beauté sans force.

En somme, **la beauté affirme un orgueil intransigeant mais nécessaire pour ne pas se prostituer**, se dégrader en s'incarnant dans des représentations démagogiques, destinés à plaire à l'opinion publique en exploitant les ressources d'un luxe décadent ou d'un pittoresque banal. « Produits avariés, nés d'un siècle vaurien, / Ces pieds à brodequins, ces doigts à castagnettes » (« L'idéal »). Le poète rigoureux ne doit pas profaner son art en faisant descendre la beauté de son piédestal.

Cependant, la beauté est aussi représentée sous la forme allégorique d'une **statue double, à la fois prostituée et créature souffrante**. Dans « Le masque », l'oxymore « Pauvre grande beauté » résume la conception baudelairienne du beau : la beauté est « grande » parce qu'elle ignore le temps et se situe sur le plan de l'éternité ; elle est « pauvre » parce qu'elle est servie par des adorateurs mortels, qui donnent d'elle des représentations torturées et torturantes pour elle. En effet, la beauté ne peut « vivre » qu'à travers les figures que les artistes ou prétendus tels lui prêtent.

En somme, **la « condition » de la beauté, ou du moins de son allégorie, est analogue, toutes proportions gardées, à celle du poète** : elle incarne l'absolu mais elle n'est pas comprise par ses adorateurs. D'où vient-elle ? on ne sait : (« Hymne à la beauté »).

3 - LES ERRANCES FÉCONDES DU POÈTE

▪ Le cadre spatio-temporel : une symbolique de l'être

Dans *Les Fleurs du mal*, le poète évolue dans **un espace orienté : deux axes se croisent**, l'un, vertical mène vers le ciel ou l'enfer, l'autre, horizontal, rencontre la route des bohémiens – « Bohémiens en voyage » – ou s'ouvre vers l'infini maritime – « L'homme et la mer ». Le poète aspire à l'élévation vers les sphères célestes, cependant le gouffre l'attire. Mais il se mêle aussi à la foule où il trouve une forme de solitude dans l'anonymat. En fait, dans *Les Fleurs du mal*, **les catégories de l'espace et du temps** donnent la mesure de l'impuissance humaine ; mais, fait spécifique à Baudelaire, elles symbolisent aussi les différents aspects et aspirations du moi.

« La vie antérieure » évoque aussi **les différentes strates qui composent le moi inconscient**, plongeant dans les profondeurs du temps onirique et du temps commun à l'humanité – dont l'individu n'est qu'un représentant actuel. Ainsi, le temps peut s'apprivoiser ; mais l'espace, lui, paraît encore plus directement accessible : il représente souvent **la projection des aspirations humaines**. « Bohémiens en voyage » évoque le rêve de l'errance perpétuelle, de la liberté encore plus affirmée par l'ouverture vers la mer : « Homme libre, toujours tu chériras la mer ! » – « L'homme et la mer ».

Mais l'homme est **toujours en attente de l'infini**, au bord de la mer, **il côtoie l'absolu et le gouffre, ensemble**. En effet, la surface, souvent étincelante et donc séduisante, recèle des profondeurs obscures, celles du gouffre où tombe le poète. **Le gouffre représente l'infini négatif** que l'homme recèle en lui-même alors qu'il nourrit aussi une insatiable aspiration à l'infini idéal. « Je te hais, Océan ! tes bonds et tes tumultes, / Mon esprit les retrouve en lui » – « Obsession ». Le poète recèle en lui-même des abîmes. Mais, s'il parvient à restituer le souvenir des « minutes heureuses », c'est que, au fond de sa mémoire, demeurent des serments et des « baisers infinis » – « Le balcon » ; *cf.* aussi : « De profundis clamavi », « Duellum », « L'aube spirituelle », « Horreur sympathique ».

L'art permet de sauver de l'oubli la maison abandonnée et son jardin, deux figures d'une enfance perdue – « Je n'ai pas oublié », XCIX – ou la « servante au grand cœur » – pièce C. Ainsi, la destinée humaine s'inscrit dans un espace et une temporalité qui la définissent et la figurent. Rien n'est simple et « Moesta et errabunda » rappelle que la pureté n'est totale que pour qui ne la conceptualise pas : « L'innocent paradis, plein de plaisirs furtifs. »

■ L'espace : cadrage esthétisant

Dans son *Salon de 1859*, Baudelaire reproche aux peintres de ne pas représenter « **le charme profond et compliqué d'une capitale âgée et vieillie** dans les gloires et les tribulations de la vie ». Aussi lui-même donne-t-il, dans ses poèmes, une représentation picturale de Paris. Le titre même de la section « Tableaux parisiens » met en évidence le point de vue esthétisant adopté par le poète : il focalise sa perspective à partir de son univers personnel et il tente de **maîtriser l'espace**, d'en prendre une mesure humaine **en lui donnant les dimensions d'un tableau**. « Paysage » ouvre la division nommée ci-dessus en évoquant la mansarde du poète, bohème romantique qui loge sous les toits, plus près du ciel. Il voit la réalité parisienne à travers le cadre de sa fenêtre et **revendique son statut de spectateur** : il ne participe pas aux activités du peuple dont il ne considère pas le travail autrement qu'en évoquant les chants et les bavardages : « Je verrai l'atelier qui chante et qui bavarde » – la synecdoque « l'atelier » trahit le besoin de prendre ses distances. Vue de sa mansarde, la capitale se métamorphose : le poète ne noue avec elle d'autres contacts qu'un rapport éloigné.

Mais Baudelaire est bien loin de se faire le chantre de la modernité en célébrant le capitalisme ou en déplorant l'exploitation du peuple. En effet, dans la seconde strophe du poème, le récit se fait encore plus explicite, presque plus combattif : **le poète refuse de subir les aléas du sort citadin** et il ne se mêlera pas aux émeutes populaires. Il fermera sa fenêtre pour mieux rêver dans sa mansarde. Dès lors, le rêve consolateur se bâtit contre la réalité et procure la volupté narcissique retirée dans l'évasion vers son espace mental, ses constructions virtuelles.

Dans « Tableaux parisiens », **le refus de céder à la démagogie et aux effets de mode** se traduit, dans la construction même des textes et dans le choix des sujets, par un retour à une thématique et à des formes classiques – comme l'églogue –, ou la comparaison du poète avec un escrimeur, ou l'évocation d'une belle mendiante, motif littéraire cher aux baroques, poètes du XVIIe siècle.

■ À la recherche de l'espace perdu de la beauté

Avec « Le soleil », Baudelaire évoque une promenade dans l'espace parisien; il ne se cloître donc pas dans sa mansarde mais il ne consent à considérer la réalité qu'ennoblie par les rayons de l'astre qui, jadis, donnait aux hommes primitifs leur vigueur et leur santé perdues par les contemporains du XIXe siècle, malades au physique et au moral. On se rappelle, en effet, la pièce V de « Spleen et Idéal » :

> « J'aime le souvenir de ces époques nues,
> Dont Phœbus se plaisait à dorer les statues. [...]
>
> Le Poète aujourd'hui, quand il veut concevoir
> Ces natives grandeurs, aux lieux où se font voir
> La nudité de l'homme et celle de la femme,
> Sent un froid ténébreux envelopper son âme
> Devant **ce noir tableau** plein d'épouvantement. »

Dans « Tableaux parisiens », Baudelaire capte les rayons solaires pour transformer ces visions horribles en tableaux. S'inspirant peut-être des théories développées par les médecins hygiénistes du XIXe siècle, « Le soleil » semble évoquer les maladies causées par la misère citadine. Le poète file la métaphore pour, tel un mousquetaire moderne, ferrailler avec les flèches solaires : son épée, c'est le soleil ; les mots qu'il cherche, les pavés sur lesquels il butte… **Ainsi le poète transfigure-t-il le grand texte du monde**. Il cherche dans l'or de la lumière un moyen de métamorphoser la réalité la plus sordide. Baudelaire souligne l'analogie entre l'illumination solaire et le travail poétique.

> « Quand, ainsi qu'un poète, il descend dans les villes,
> Il ennoblit le sort des choses les plus viles,
> Et s'introduit en roi, sans bruit et sans valets,
> Dans tous les hôpitaux et dans tous les palais. »

Pour Baudelaire, les rayons solaires remplissent, en quelque sorte, un rôle plus « démocratique » que philosophique car ils dispensent à tous les individus souffrants leurs caresses et leurs beautés. Ainsi se dégage, en filigrane, la **dimension humaniste de l'art poétique** : il s'agit de dispenser **la noble richesse d'une chaleur, celle de la beauté**, à toutes les créatures frappées par le sort ou plongées dans la luxure.

▪ L'espace : une fascinante marginalité

Dans *Les Fleurs du mal*, **la marge constitue aussi un espace de prédilection** pour le poète, révolté par le conformisme, fasciné et horrifié par le vice ou la foule. Ainsi, « Bohémiens en voyage » évoque des marginaux, de perpétuels nomades, donc des figures du poète dont l'errance féconde l'imaginaire et la retraite alimente les songes. Les bohémiens synthétisent plusieurs types de représentations ; ils conjuguent le contact immédiat avec la nature, le mouvement, l'absence de conformisme car ils sont initiés à la conscience du néant : « Devant ces voyageurs, pour lesquels est ouvert / L'empire familier des ténèbres futures. » **Le voyage symbolise la condition humaine** – la vie est un long parcours vers les ténèbres, certains le savent, d'autres l'ignorent et en profitent pour se montrer cruels.

Certains êtres invitent le poète à l'évasion onirique, telles les femmes exotiques du type de Sara (*cf.* biographie) ou de Jeanne Duval. Leur corps incarne un espace où se réfugier pour oublier le présent et mieux se souvenir des « minutes heureuses » – « Le balcon » –. De manière sans doute moins conventionnelle que les femmes étranges et originales, les chiffonniers, les assassins, le solitaire et les amants se situent, eux aussi, dans cette marge qui attire le poète. Il les évoque dans une section intitulée « Le vin » car l'alcool permet l'oubli des contingences et, pour Baudelaire, représente aussi un « paradis artificiel » démocratique parce qu'accessible au peuple.

L'espace parisien représente aussi le lieu même de la **marginalité tentatrice**, où le passant frôle une mendiante rousse (« À une mendiante rousse ») et éprouve, sous le charme, comme une décharge électrique, à la vue d'une passante ravageuse (« À une passante »). Ces deux femmes synthétisent, d'une certaine manière, la double approche baudelairienne de l'espace parisien. En effet, « À une mendiante rousse » s'inspire de la poétique renaissante : **Baudelaire emprunte à Ronsard** le découpage en **strophes hétérométriques** – composées de vers de longueurs différentes ; ici : trois sextains et un vers de quatre syllabes – toutes composées sur des rimes masculines – la rime masculine se termine sur un son prononcé (roux, trous, pauvreté, beauté), la rime féminine sur un « e » muet (atmosphère, masure). La volonté esthétisante se trahit dans les **archaïsmes** lexicaux – qui porte des « cothurnes » ? ou prétend s'adonner au « déduit », autrement dit au plaisir – et syntaxiques ?

Le poète s'inscrit donc dans la continuité de la « Valetaille de rimeurs » pour évoquer les charmes d'une belle fille, dont la beauté surpasse toutes les richesses. À l'inverse, « À une passante » évoque la déflagration du désir et l'érotisme esthétisant typiques de la poésie baudelairienne. Ainsi, **le réel n'existe que pour favoriser l'envol du poète** vers ses contrées imaginaires et idéales.

■ Paris, un espace-temps consacré à l'errance poétique

Avec « Le cygne », Baudelaire ouvre la voie à l'errance surréaliste. En effet, il se promène dans Paris et sa sensibilité lui permet d'identifier des « signes » – le poète ne répugne pas, en effet, de risquer quelques jeux de mots (voir aussi « Remords posthume »), traitant dès lors le langage comme une matière ludique, à la manière des poètes du XXe siècle. L'espace évoque le souvenir des temps passés, les figures qui hantent la mythologie et la littérature antiques, telle Andromaque. Mais la mémoire poétique acquiert les dimensions de l'espace infini pour apporter une consolation à tous les exilés, à la « négresse, amaigrie et phtisique », « aux matelots oubliés dans une île », etc. Dédié à Victor Hugo, ce texte évoque aussi l'exilé qui, sur son rocher anglo-normand, incarne la résistance à l'oppression politique et idéologique.

Ainsi, l'espace environnant inspire le poète au prix de sa négation puisqu'il incite à l'envol vers l'imaginaire. L'espace parisien acquiert une valeur symbolique plus qu'il n'incite à la reproduction réaliste ; le poème baudelairien traduit une vision du monde spirituelle et constitue un remède contre l'oubli des valeurs humaines.

L'errance permet aussi de conjuguer les contraires, de se fondre dans la foule sans pour autant nouer un contact direct avec l'autre. Il s'agit d'entrer en phase avec le principe même du vivant, en perpétuel mouvement et en constante métamorphose.

4 - LES FIGURES ET LES FONCTIONS DU FÉMININ

■ La femme idéale : une créature esthétique

Rédigée par des hommes, la littérature amoureuse s'alimente, par tradition, dans une double représentation du féminin : selon une répartition des rôles qui traduit les pratiques conjugales bourgeoises, l'auteur, réaliste, lyrique, etc., célèbre la vierge sublime et fustige la femme fatale qui ensorcelle l'homme en usant de ses charmes enjôleurs et pervers. Bien que la critique présente, d'ordinaire, Baudelaire comme un auteur misogyne, dans *Les Fleurs du mal*, les différentes figures de la femme remplissent, à la fois, les fonctions attribuées à la **médiatrice de la transcendance**, donc la madone, et aussi à **la créature aux formes plastiques**, dont l'esthétique figure l'harmonie divine mais également physique.

Cependant, le poète juge répugnantes la fécondité et la reproduction ; pour lui, la beauté présente des caractères communs avec la stérilité – ou, du moins, **il ne supporte pas, en esthétique, le goût que, à son époque, les bourgeois manifestent pour la matière**. Lui, il aspire à la dématérialisation.

Ainsi, **la femme baudelairienne n'existe que comme créature de Baudelaire**. Aussi le poète fait-il l'éloge du maquillage : **la femme devient déesse**, créature magique, idole digne de recevoir un culte. En somme, elle se fait « dandy » parce qu'elle travaille son apparence en toute lucidité et conscience. Ainsi parée, la femme baudelairienne remplit, physiquement, le rôle du médium entre le visible et l'invisible.

■ La femme, ou la médiatrice esthétique

La femme, charnelle, évolue dans le vivant; elle ne crée pas : elle se contente d'exister; mais, ce faisant, elle permet aussi à l'œuvre de naître puisqu'elle inspire le poète. Ainsi, Jeanne Duval, créature féline et mystérieuse, **n'a pas besoin de passer par la médiation de la parole pour signifier ce qui dépasse les limites humaines** – même si c'est au prix d'une intelligence médiocre. À l'inverse, le poète se trouve comme condamné à mettre en mots une expérience douloureuse. Mais l'art transcende le temps, grâce à l'inspiration procurée par **la femme nécessairement mise à distance**, soit qu'elle manifeste trop ses inclinations naturelles, soit qu'elle soit transformée en création esthétique. **La femme médiatrice sans le savoir** permet donc à l'auteur de devenir, à son tour, médiateur, incarnant la beauté dans le langage – mais **le poète est un médiateur lucide** et pratique un art conscient.

Cependant, dans *Les Fleurs du mal*, **tout se passe comme si le poète nourrissait son œuvre de sa chair, de son âme, de son art** – trois dimensions thématisées à travers trois figures de femmes, charnelle, spirituelle et artiste. Dès lors, de même que la femme lui permet de donner chair à son aspiration à la beauté, le poète, lui aussi, se dématérialise ou, du moins, incarne son esprit dans la substance verbale de son propre texte. **Baudelaire finit par s'identifier à ce qui l'inspire.** Ainsi, il se métamorphose lui aussi en œuvre d'art ou en objet support de l'inspiration esthétique : il devient ce flacon dont l'odeur, dès son enfance, l'envoûte :

> « Quand on m'aura jeté, vieux flacon désolé,
> Décrépit, poudreux, sale, abject, visqueux, fêlé,
> Je serai ton cercueil, aimable pestilence ! »
>
> « Le flacon ».

Entre **adoration et détestation** de la femme, entre **orgueil et ironie** du poète, *Les Fleurs du mal* progressent à la faveur d'une perpétuelle métamorphose, d'une inversion constante des rôles les plus contradictoires en apparence.

▪ La femme idéale et la suggestion de l'unité

Nous avons vu (I. 3) que la véritable Mme Sabatier n'incarnait pas précisément un modèle de vertu car elle se faisait entretenir par un fils de banquier. Dans *Les Fleurs du mal*, elle occupe, à son corps défendant, la position d'une femme sublime. Mais son physique, lui aussi, constitue un élément d'adoration ; en témoigne la fin du poème qui lui est consacré, « Tout entière » :

> « Et l'harmonie est trop exquise,
> Qui gouverne tout son beau **corps**,
> Pour que l'impuissante analyse
> En note les nombreux accords.
>
> Ô métamorphose mystique
> De tous mes **sens** fondus en un !
> Son **haleine** fait la musique,
> Comme sa **voix** fait le **parfum** ! »

Les deux dernières strophes soulignent à l'évidence l'idée que **la créature idéale, même sublime, ne sau-**

rait être totalement désincarnée : son corps représente, en soi, l'unité grâce à ses proportions harmonieuses – comme en témoigne le recours à la métaphore musicale (« harmonie », « accords », « musique »). Ici, le féminin participe du divin dans la mesure où, d'après le poète, la femme vivrait les choses et ne les conceptualiserait pas : elle défie alors « l'impuissante analyse ». Ainsi, la femme sublime fait entrevoir au poète l'unité. « Sa chair spirituelle a le parfum des Anges / Et son œil nous revêt d'un habit de clarté » (XLII). La femme sublime **incarne la lumière spirituelle** : « « Charmants Yeux, vous brillez de la clarté mystique » – « Le flambeau vivant » – Elle représente une sorte de conscience morale indiquant au poète le chemin de la création : tout à la fois juge et protectrice, elle s'identifie à « l'Ange gardien, la Muse et la Madone » (XLII).

▪ La créature charnelle, incarnation d'une énigme

Jeanne Duval inspire à Baudelaire une ouverture poétique proche de l'adoration **mystique**, même s'il déplore sa cruelle amoralité (XXV). Ainsi, la méchanceté prêtée à la femme n'est qu'une conséquence de son « ennui » existentiel, preuve incontestable, là encore, que la mulâtresse acquiert une forme de « complexité ».

Le poète demande cependant à la femme charnelle de remplir son rôle de sphinx : **elle ne s'exprime pas car elle représente la beauté muette**. « Ô vase de tristesse, ô grande taciturne » (XXIV, « Le possédé »). Dans le cadre traditionnel de la passion amoureuse, **elle incarne l'absence** et se dote de toutes les séductions de qui se dérobe. La femme charnelle permet donc au poète de jouer sur les représentations symboliques, soit naturelles, soit esthétiques. Presque aux limites de l'humain, elle suggère la métaphore **animale**, surtout le serpent – « Avec ses vêtements ondoyants et nacrés, / Même quand elle marche on croirait qu'elle danse » – et **minérale** – « Ses yeux polis sont faits de minéraux charmants, / Et dans **cette nature étrange et symbolique** » (XXVII).

Ainsi, la femme charnelle représente une énigme : **elle redonne une vie aux symboles figés parce qu'elle les incarne**. Grâce à elle, la mythologie retrouve une vérité nouvelle. Lorsque le poète veut évoquer la sensualité féminine, il puise dans le catalogue des images mythologiques mais il ne le réduit pas à de pures figures formelles. « Et je ne suis pas le Styx pour t'embrasser neuf fois » – « Sed non satiata » –. De manière signifiante, le poète se représente en « Styx », fleuve des Enfers – car il vit un enfer aux côtés de la femme inassouvie : **à jamais insatisfaite**, elle incarne **la possession, à jamais insatisfaisante** – ce qui suggère l'angoisse du « **fiasco** » mais évoque, plus encore, la dynamique même de la création. En effet, en exigeant toujours davantage, elle incite aussi le poète à se dépasser.

Dans « Une martyre », l'image de la femme décapitée inverse différentes figures bibliques liées à **la symbolique de la castration** ; on s'en souvient : Dalila coupe les cheveux de Samson et lui ôte ainsi son énergie, sa puissance virile ; Judith décapite Holopherne ; la fille d'Hérodiade, Salomé, demande à Hérode la tête de saint Jean Baptiste, etc. En fait, Baudelaire inverse le schéma ; il le reprend pour le détourner, voire le retourner peut-être pour mieux se venger : la créature charnelle se transforme **en figure esthétique frappée de cette impuissance qu'elle peut infliger aux hommes**. Elle devient donc une « martyre » du désir qui animalise les hommes et souille la divine beauté incarnée dans son corps et dans ses traits.

▪ La femme sensuelle, synthèse d'Éros et Thanatos

Plus encore, la femme charnelle **figure la mort**, elle incarne la fatalité, comme le suggère le rapprochement possible entre Jeanne Duval, comparée à un « cadavre » dans la pièce XXIV de « Spleen et Idéal », et « Une charogne ».

> « Alors, ô ma beauté ! dites à la vermine
> Qui vous mangera de baisers,
> Que j'ai gardé la forme et l'essence divine
> De mes amours décomposés ! »

La dernière strophe clôt « Une charogne » sur une revendication traditionnelle du poète. Dans ses *Sonnets à Hélène*, Ronsard évoquait avec cruauté une Hélène vieille célébrant sa mémoire, à lui, parti dans le royaume des ombres mais à jamais immortel. De même, Baudelaire évoque le phénomène de décomposition organique qui dissout la chair périssable, lui fait regagner, en somme, son origine ; dans une image saisissante, l'auteur identifie l'action des vers à un baiser : la vermine dévore la femme qui, tel un vampire, aspire les forces du poète.

Les Fleurs du mal présentent le poète et sa bien-aimée comme un couple indestructible car ils sont **enchaînés, voués l'un à l'autre comme la mort est nécessaire pour passer à l'éternité** : ils existent l'un par l'autre. Aussi le poète ne peut-il se délivrer de cette emprise nécessaire à sa création : « Si nos efforts te délivraient, / Tes baisers ressusciteraient / Le cadavre de ton vampire ! » – « Le vampire » – La femme charnelle, véritable esprit démoniaque, vampirise le poète et le possède. Elle fait de son « esprit humilié », son « lit » et son « domaine » – Elle le détruit mais elle lui procure une **inspiration comparée à une forme de**

possession, à la fois prostitution du Verbe dans la chair du mot et effort vers un idéal. Ainsi, la femme aurait pour fonction d'**accélérer la déchéance générée par le temps** ; mais, inversement, elle précipite le processus de la création artistique. « Une charogne » la présente comme promise à la disparition, mangée, par anticipation, par la vermine, image macabre du temps dévorateur. La femme est à peine une personne ; elle n'existe plus comme individu à part entière. Elle perd sa consistance de femme réelle : elle se dématérialise pour mieux revivre dans l'art. Ainsi, **Baudelaire détourne le motif fantastique de la possession amoureuse pour en faire la figure de l'alchimie poétique** : l'auteur immortalise « la forme » éternelle, « l'essence » idéale de la femme. L'inspiration macabre puise, certes, dans une thématique mise à la mode par Hoffmann, Poe et bien d'autres.

▪ La femme et l'exaltation des sens

Le féminin exacerbe les sens du poète et lui fait ressentir les limites de ses sens tout en lui suggérant physiquement l'infini. De manière générale, **les odeurs fortes** inspirent le poète parce qu'elles le grisent, ainsi qu'en témoigne la strophe qui ouvre « Le parfum » (dans « Un fantôme ») réunissant l'encens mystique et le musc érotique :

> « Lecteur, as-tu quelquefois respiré
> Avec ivresse et lente gourmandise
> Ce grain d'encens qui remplit une église,
> Ou d'un sachet le musc invétéré ? »

En fait, **le parfum représente l'équivalent sensuel de la mémoire et de la sexualité** – donc du souvenir érotique, comme en témoigne la fin du sonnet cité ci-dessus : le poète ménage l'équivoque car le vêtement a retenu l'odeur non d'un parfum artificiel mais d'un corps dont l'odeur matérialise l'esprit et l'âme. L'odeur, par son intensité, fait percevoir au poète l'infini – il permet de **concilier le goût du contact et la mise à distance de la femme**.

La créature charnelle charme le poète à l'aide de ses attributs spécifiques. En véritable guerrière de l'amour, elle possède une **chevelure** comparée, à diverses reprises, à un **casque** : « Ses cheveux qui lui font un casque parfumé » (XXXII) « De ses cheveux élastiques et lourds » (« Le parfum »). La chevelure constitue également un motif qui rapproche l'humain de l'animalité ; dans *Les Fleurs du mal*, les anneaux formés par les cheveux crêpés de l'amante figurent à la fois les chaînes de la femme et celles du poète attaché à elle. En outre, l'**odeur puissante** de la femme charnelle transporte le poète vers des territoires lointains – tout comme elle mène Jeanne au bord de l'évanouissement dans « Une charogne », preuve supplémentaire du caractère indissociable de la vie et la mort incarné par la mulâtresse. Le parfum de la mulâtresse inspire au poète des visions exotiques.

La femme charnelle conduit le poète au bord du vertige, aux portes de la mort, au fond du gouffre : « J'implore ta pitié, Toi, l'unique que j'aime, / Du fond du gouffre obscur où mon cœur est tombé » – « De profundis clamavi », titre à résonance religieuse et blasphématoire qui souligne **l'homologie entre l'infini charnel et l'infini spirituel**. Ainsi, dans « Harmonie du soir », avant-dernier poème consacré à l'amour spiritualisé inspiré par Mme Sabatier, l'odeur évanescente de la fleur comparée à un encensoir se conjugue aux sonorités du violon et de la valse pour évoquer le souvenir de la bien-aimée déjà presque oubliée. Le son possède une vertu évocatoire, à la fois tragique et mystique. Comme l'odeur, il favorise le processus de la réminiscence, entre matière et esprit.

▪ La passion dévorante

Inspirée par la femme charnelle ou la femme artiste équivoque, la passion ressemble à une **possession** qui vampirise les forces vitales du poète et le fait **souffrir**, au physique et au moral. Elle le renvoie surtout au vide de la relation amoureuse et s'inscrit dans la tradition fantastique.

Son corps est totalement investi par cette présence démoniaque et désirée : « *Ô mon cher Belzébuth, je t'adore*! » – « Le possédé » – La femme charnelle évoque l'image de la **goule** traditionnelle dans la littérature fantastique et sentimentale pour désigner le pouvoir ensorceleur de la femme. On le sait, Baudelaire appelait Jeanne Duval sa « sorcière ». De plus, elle avait quelques tendances à l'homosexualité et, dans « Duellum » ou « Sed non satiata », le poète paraît **dépasser la stricte opposition sexuelle** pour désigner le combat que mènent les amants; lui-même regrette de ne pouvoir « devenir Proserpine », autrement dit la déesse de la mort et donc de la résurrection – celle qui procure la « petite mort » du plaisir érotique.

Dans « Le flacon » et « Chanson d'après-midi », la femme artiste suggère le motif du **philtre magique** :

> « Ah ! les philtres les plus forts
> Ne valent pas ta paresse,
> Et tu connais la caresse
> Qui fait revivre les morts ! »

Sublimée, la passion suscite l'envolée onirique : le poète invite l'aimée à partir vers « le paradis de [ses] rêves » – « Le vin des amants » –. **Dégradante**, la passion s'avère nécessaire, par les souffrances mêmes qu'elle lui inflige, à son initiation; en témoignent, entre autres, ces vers du « Poison » : « De tes yeux, de tes yeux verts, / **Lacs où mon âme tremble et se voit à l'envers**. »

Ainsi, le poète se décrit toujours lui-même en position d'adorateur mais, là où il cherchait l'infini, il découvre la profondeur d'un gouffre sans nom. Mais ses prières restent souvent sans écho parce qu'il prête à l'aimée ses propres inquiétudes, sa propre profondeur : en fait, **les yeux de l'amante ne font que refléter l'âme du poète** ; ils sont vides et le poète, qui a lu Stendhal sans doute, suggère ainsi le phénomène de la cristallisation amoureuse consistant à prêter à l'autre bien plus qu'il ne possède. Mais la conscience du mal est nécessaire à la dynamique de la passion.

■ Le poète, amant et ami, bourreau et victime

Les Fleurs du mal associent la passion à la **douleur aiguë** causée comme par un poignard ; le motif du couteau revient de manière récurrente dans le recueil. Il désigne le coup de foudre : « Toi qui, comme un coup de couteau, / Dans mon cœur plaintif es entré » – « Le vampire » – « C'est bien ! Charmant poignard, jaillis de ton étui ! » – « Le possédé » – «Duellum » en fait l'arme des amants. La passion baudelairienne ressemble à un **duel** auquel les amants ne veulent pas renoncer en vertu de l'analogie pressentie par Baudelaire entre **l'amour et la haine** – et, plus encore, entre l'amour et la mort – comme en témoigne le deuxième tercet de « Duellum » :

> « – Ce gouffre, c'est l'enfer, de nos amis peuplé !
> Roulons-y sans remords, amazone inhumaine,
> Afin d'**éterniser l'ardeur de notre haine** ! »

Enfin, dans « À une madone », le poète réunit la double fonction de victime et de bourreau :

> « Et pour mêler l'amour avec la barbarie,
> Volupté noire ! des sept Péchés capitaux,
> **Bourreau plein de remords**, je ferai sept Couteaux. »

Ainsi, le **motif phallique du couteau** se trouve comme retourné contre le poète qui intériorise l'interdit moral sur la sexualité et qui ne saurait dissocier « l'amour avec la barbarie ». « Une martyre » décrit un tableau qui représente une femme décapitée représentée par un dessinateur inconnu – cette figure renvoie à un mystère qui fait écho aux fantasmes de Baudelaire : peut-être cette créature a-t-elle subi les effets mortifères d'une jalousie qu'elle a, par ses caprices, défiée ? quoi qu'il en soit, la décapitation renvoie à une castration inversée ; mais l'art, encore une fois, transfigure la femme souillée.

Ami et amant, frère et ennemi, le poète rend un culte ambigu à la passion ; l'ami rêve de partir en voyage vers un pays où « tout n'est qu'ordre et beauté, / Luxe, calme et volupté » – « L'invitation au voyage » – Dans « La mort des amants », à l'inverse, les amants ont perdu toute leur énergie et leurs « deux esprits, ces miroirs jumeaux » peuvent, enfin, regagner les territoires célestes.

▪ Une adoration très lucide

Pour Baudelaire, la femme représente, sur le plan esthétique, **un simple support**, nécessaire pour son inspiration et son aspiration au dépassement de soi. Il suffit, pour s'en convaincre, de lire le dernier quatrain de « L'amour du mensonge » :

> « Mais ne suffit-il pas que tu sois l'apparence,
> Pour réjouir un cœur qui fuit la vérité ?
> Qu'importe ta bêtise ou ton indifférence ?
> Masque ou décor, salut ! J'adore ta beauté. »

Entre Jeanne Duval, Mme Sabatier et Marie Dorval, la médiation diffère moins qu'il ne semble car le poète s'intéresse à elles moins pour ce qu'elles lui suggèrent plus que pour ce qu'elles sont – les cœurs des femmes, pour lui et Flaubert, ressemblent parfois à des « écrins vides ».

Tels les anciens Romains rappelant à l'empereur victorieux sa nature mortelle, le poète tend à la femme, belle et jeune, le miroir de sa décomposition future : **le microcosme charognard symbolise le destin de l'humanité et de l'univers**. « Une charogne » rend visible la pulsation de l'univers, le rythme de la vie et de la mort :

> « Et ce monde rendait une **étrange musique**,
> Comme l'eau courante et le vent,
> Ou le vent qu'un vanneur d'un mouvement rythmique
> Agite et tourne dans son van. »

Ce poème pourrait prendre des résonances morbides mais Baudelaire retourne le macabre en instrument de lucidité. En somme, la mort donne la vie car elle permet la victoire du poète sur la destruction du moi et rend possible son inscription dans la continuité culturelle.

4

ÉCHOS ET CORRESPONDANCES

1. L'ENNUI

■ L'ennui, définitions ouvertes

Au XXe siècle, Alain, philosophe français, assimile l'ennui à une « passion triste ». Il cherche surtout à cerner les conditions favorables au bonheur ; il considère l'ennui comme l'effet d'une propension complaisante à l'inaction. « Bref, aucun homme ne peut trouver en ce monde de plus redoutable ennemi que lui-même » (« Humeur », dans *Propos sur le bonheur*). **L'ennui constitue l'effet d'aspirations déçues mais aussi volontaires**. En effet, il s'entretient de lui-même par la persuasion qu'on ne saurait qu'échouer dans une société médiocre. Dans *Fusées,* Baudelaire développe la même idée lorsqu'il s'encourage, en vain, au travail. Quant à Sartre, il considère l'auteur des *Fleurs du mal* comme un homme qui se déçoit lui-même mais qui ne renoncerait pour rien au monde à l'ennui : le bonheur lui semble trop vulgaire pour s'y vautrer sans retenue. À la jouissance sereine, il préfère l'ennui, l'entre-deux rives, ou deux rêves, qui mène à l'aristocratie du souci.

Le penseur contemporain Vladimir Jankélévitch définit **l'ennui dans son double rapport à l'angoisse et au souci** ; celle-là résulte d'une attente passionnée d'autre chose, celui-ci oriente l'inquiétude vers un but particulier. Mais l'ennui ?

Sans forme définie, tributaire de la mode et de la société, il se propage, par contagion d'un pays à l'autre, d'une génération à l'autre, tout en changeant d'aspect au gré des climats et des variations historiques. Infiniment adaptable parce qu'aux confins de l'être et du non-être, il se nourrit d'un étirement du temps et, sans cesse, il revêt des caractères différents.

■ Histoire de l'ennui

Dans l'Antiquité, les auteurs se soucient peu de montrer des héros en proie à un ennui existentiel. Néanmoins, **au début de l'ère chrétienne, le poète latin Lucrèce évoque l'ennui existentiel** pour mieux prouver la validité de l'épicurisme – ou philosophie incitant à rechercher le bonheur par un bon usage des plaisirs. Cicéron reprochait au philosophe grec Épicure son obsession du néant ; et, certes, pour son vulgarisateur latin, Lucrèce, l'homme éprouve une angoisse terrible parce qu'il côtoie sans cesse la mort sans vouloir comprendre qu'il est fait d'atomes et que le néant n'est pas inquiétant car on y entre sans douleur.

Ainsi, l'ennui est appréhendé à partir de la volonté de lui échapper : pour trouver un remède à l'ennui, d'après Lucrèce, il suffit d'accepter ses limites humaines et de s'initier à l'épicurisme.

L'ennui apparaît dans la littérature française avec la réflexion menée par le philosophe et savant **Pascal** : ce janséniste définit l'homme comme une « capacité vide » en proie à une attente indéfinie de l'infini. Ainsi,

l'ennui révèle une attente, un désir trop intenses pour être comblés ici-bas. Or, l'homme a besoin de donner un sens à sa vie ; comme la société ne peut le lui donner, il cherche à échapper au devoir moral qui consiste à rechercher sa vérité : il se « divertit », il se détourne de son être profond en se trouvant des occupations. Ainsi Pascal assimile-t-il l'ennui à une conséquence de la chute, de la perte du sens causée par la séparation d'avec Dieu ; mais l'homme est un ange tombé du ciel qui se souvient de l'infini : donc, l'ennui résulte aussi d'une aspiration à l'infini. Nous retrouvons la dialectique baudelairienne, avalisée par l'analyse de Jankélévitch : l'ennui vient d'une installation dans un vide, dans une paresse qui se trouvent des excuses dans la nullité environnante pour ne pas faire l'effort de trouver mieux. Cependant, **l'ennui s'impose comme un sujet littéraire à part entière à partir du XIXe siècle**. Il suscite alors l'intérêt du milieu médical et inspire quelques études sur son caractère pathologique.

■ Figures informes de l'ennui

En Russie, l'anti-héros de Gontcharov, Oblomov, paraît frappé d'une atonie totale ; au Portugal, la *saudade* apparaît comme un sentiment national du vide ouvert vers une attente, une mélancolie sans but mais heureuse ; en Allemagne, le héros de Goethe, le romantique Werther, cède aux affres d'un **désespoir suicidaire** ; en Angleterre, le **spleen** se rapproche de la neurasthénie ; en France, le **mal du siècle** sévit au sortir d'une révolution qui condamne la jeunesse à l'**inaction**, la confine dans la **solitude** et lui impose une vie sans originalité.

L'œuvre de Chateaubriand illustre cette lassitude ontologique, ce dégoût de vivre venu de l'absence de motivations et de l'impuissance à se réaliser. Toute la littérature du temps s'inspire de l'ennui, qui trahit dès lors son potentiel sinon créatif du moins esthétique. Ainsi, dans *Lucien Leuwen*, roman inachevé (par ennui ?) de Stendhal, le héros subit les effets d'un ennui délétère qu'il tente en vain de combler en connaissant les battements de cœur de la passion ou en consentant à sacrifier aux ambitions professionnelles nourries pour lui par sa famille... Mais, de manière générale, tous les héros s'ennuient au XIXe siècle ; certains, comme Julien Sorel, tentent de réagir en se donnant des buts provisoires ; d'autres, comme Frédéric Moreau, personnage de Flaubert, se livrent à la procrastination et suivent une courbe hésitante, par impuissance à concrétiser leurs innombrables projets.

Au XXe siècle, l'ennui revêt une forme un peu différente car il traduit une sorte d'enlisement dans la matière, de difficulté à dépasser le sentiment d'absurdité ressenti à évoluer dans un milieu social oppressant et vide – la bourgeoisie chez Mauriac ou Green – ou dans un monde dont les valeurs vacillent – Sartre décrit cet engluement dans *La Nausée* ; Camus le théorise dans son *Mythe de Sisyphe*.

2. DE LA FAUTE AU PÉCHÉ

▪ Le sentiment de la faute dans l'Antiquité

Telle que la définit, *a posteriori*, le philosophe grec Aristote, dans sa *Poétique*, la tragédie antique se caractérise par sa forme dialoguée. Elle raconte les actions des Grands de ce monde afin de dispenser des **leçons de morale civique au peuple**, assemblé sur les gradins des théâtres lors de grandes représentations organisées par le pouvoir politique. **La tragédie doit inspirer terreur et pitié** : elle a pour but de « purifier » les esprits de leurs inclinations au vice – purification étant à prendre à la fois dans un sens médical (se purger des passions) et dans un sens mystique (sortir de la transe).

En effet, son sujet s'inspire des malheurs que s'attire le héros, ni tout à fait coupable ni totalement innocent. Dans l'Antiquité, **le héros tragique commet la faute de ne pas savoir rester à sa place** et de ne plus accorder d'importance aux dieux. Ainsi, dans son *Œdipe roi*, Sophocle représente un Œdipe arrogant : il fait beaucoup trop confiance aux forces de cette raison qui lui a permis de donner au sphinx la bonne réponse – on se souvient de la fameuse question posée au héros par le monstre qui terrorisait Thèbes : quel animal marche d'abord à quatre pattes, puis à deux et enfin à trois ? L'homme. C'est l'hybris, ou **la volonté de puissance excessive, qui constitue la faute, plus intellectuelle que morale, du héros grec**. La tragédie de Sophocle se présente comme une pièce policière car elle s'ouvre au moment du châtiment : la peste frappe Thèbes et il faut trouver le coupable de cette faute qui vaut à la ville la colère des dieux.

Œdipe ne veut pas comprendre qu'il est responsable de ce fléau. Certes, il a essayé d'échapper à son destin : sans le savoir et sans le vouloir, il a tué son père et, parce qu'il a su délivrer Thèbes d'un monstre, il a épousé sa mère. **La faute semble, alors, dissociée de la volonté de commettre une mauvaise action**.

■ Le sens chrétien du péché

En fait, les hommes de l'Antiquité n'ont pas vraiment le sens du péché. Dans l'Ancien Testament, pour les juifs, Dieu crée le monde et l'homme qui doit remplir le projet divin, qui doit devenir un être humain à part entière. En désobéissant, Adam est responsable de son exclusion du paradis originel. Cependant, **le sens**

du péché, au sens strict du terme, nous vient du christianisme. Saint Augustin (354-430) reçoit le baptême et condamne l'idée que l'homme puisse faire son salut, se racheter, alors qu'il hérite du péché originel, autrement dit du péché commis par Adam mangeant le fruit défendu de l'arbre de la connaissance. Pour saint Augustin, en effet, seul un don de Dieu, la grâce, peut laver l'homme de cette souillure et lui rendre la liberté perdue par Adam et Ève. Or, **la grâce ne se mérite pas** : Dieu l'accorde à quelques prédestinés dont le nombre est limité en fonction de celui des anges déchus dont les places sont restées libres au ciel après la Chute. Mais les élus ne savent pas qu'ils ont été choisis par Dieu... Ainsi, **le péché originel s'attache à l'homme sans qu'il ait commis une faute**, personnellement; il peut ne pas obtenir la grâce, même s'il semble respecter la loi morale.

Cette doctrine de la prédestination apparaît à un moment où le pouvoir politique incarné par l'Empire romain finissant décline. Elle se renforce tout au long du XVIe siècle, où la notion d'individu émerge dans la conscience occidentale : en effet, durant le Moyen Âge, l'homme ne se conçoit pas lui-même en dehors de son groupe, de sa famille ou de sa communauté professionnelle. Avec l'ouverture géographique permise par les grandes découvertes et les innovations techniques, l'être humain est pris d'une angoisse certaine devant les incertitudes d'un sort qu'il doit, désormais, assumer et orienter seul. Ainsi, la Réforme protestante peut s'expliquer, entre autres, comme l'expression d'une volonté de trouver un sens à la vie en faisant de Dieu l'arbitre de la grâce et du salut. Pour d'autres, comme les jésuites, Dieu laisse l'homme libre de commettre des fautes, des péchés, mais aussi de les regretter, donc de faire son salut. Ainsi, **le péché, paradoxalement, résulte de la liberté de l'homme**.

▪ Phèdre, l'héroïne à qui « la grâce a manqué »

Au XVIIe siècle, les jansénistes radicalisent encore cette vision du monde. Tout le théâtre de Racine se nourrit du pessimisme janséniste : **l'homme ne peut résister à ses passions** ; il ne peut qu'admettre sa propension au crime et en souffrir, infiniment. L'œuvre de Racine aboutit au chef-d'œuvre avec *Phèdre*. Le père de Phèdre, Minos, roi de Crète, incarne la justice par excellence ; sa mère, Pasiphaé, se laisse séduire par un taureau et elle accouche d'un monstre, le Minotaure – rappelons que cet accouplement constitue la punition infligée au couple par Poséidon à qui Minos refusa de sacrifier un très beau taureau blanc…

Ariane guide le héros Thésée dans le labyrinthe et rend possible la mise à mort du Minotaure, donc de l'incarnation de la faute parentale. Mais c'est Phèdre, sa sœur, qu'épouse le héros pourfendeur de monstres, incarnation, pour les psychanalystes, d'une forme de censure morale symbolique. À travers le couple formé par le héros et Phèdre, le rétablissement de l'innocence est déjà confronté au monstrueux en puissance. Mais nul n'est à l'abri d'une erreur stratégique : ainsi, Thésée s'absente si longtemps qu'on le croit mort…

Pendant ce temps, Phèdre succombe à la passion : elle aime le fils de Thésée, Hippolyte. « **Ni tout à fait coupable, ni tout à fait innocente** », comme le dit Racine dans sa Préface, Phèdre représente la femme déchirée par la fatalité d'un destin causée par la « haine de Vénus » pour sa famille. L'héroïne racinienne commence par se considérer comme l'« objet infortuné des vengeances célestes » ; mais **elle finit par intérioriser le sens du péché et se prend en horreur** parce que sa passion illégitime l'incite à mentir à Thésée, enfin revenu, et à lui faire croire que son fils, Hippolyte, a tenté de la séduire. Phèdre se tue pour purifier le monde de son importune présence.

■ Kafka et l'homme coupable d'exister

Dans toute son œuvre, **Kafka, de culture juive, radicalise l'interrogation sur le sentiment de la faute et le sens du péché**. Dans *Le Procès*, son héros, Joseph K., est, en effet, accusé d'une faute dont la teneur demeure confuse, comme insaisissable. Il commence, en effet, par interpeller les juges qui le convoquent au tribunal ; il leur demande de justifier les procédés d'une organisation abstraite qui transforme les innocents en coupables... Le lecteur croit alors avoir affaire à une dénonciation de tous les régimes totalitaires et de toutes les idéologies tyranniques.

Mais, de manière insidieuse, Joseph K. est comme pris par **le tourbillon vertigineux de ses propres angoisses** ; il perd pied car qui peut se dire totalement innocent ? Aussi, *Le Procès* met-il en accusation la condition humaine : la vie entière n'est qu'un long procès dont l'homme attend l'issue au moment de mourir. Ainsi K. rencontre un abbé à qui il demande de lui expliquer quelle loi gouverne le monde. Mais l'autre lui raconte un apologue tellement obscur et ambigu que le sens devient de plus en plus confus : en fait, **la Loi existe mais rien ne semble la justifier ; il faut l'admettre**.

3 - DE L'EXOTISME AU PARADIS ARTIFICIEL

■ L'Orient, espace de toutes les initiations ?

Depuis l'Antiquité grecque, le voyage vers un Est de plus en plus lointain est perçu par les Occidentaux comme le moyen de s'initier à une autre réalité; en témoigne, par exemple, le séjour de Platon en Égypte. Le voyage vers l'Orient joue, d'emblée, un rôle majeur dans l'entreprise de régénération collective qui caractérise la quête initiatique occidentale. **Au Moyen Âge, la Chrétienté se tourne vers l'Est**, où elle tente de voir ses propres origines. Il s'agit de reconquérir un lieu mythique, le tombeau du Christ. Reconnaissons que l'aventure asiatique a souvent eu pour origine la visée commerciale – témoin, dès le XIIIe siècle, les voyages du Vénitien Marco Polo – ou la volonté d'imposer une culture – les missions des jésuites en Chine en font foi, si l'on peut dire. Cependant, le sens donné au terme Orient évolue en fonction des facilités grandissantes de déplacement.

Au XVIIIe siècle, les récits de vrais explorateurs offraient matière à la réflexion philosophique (Voltaire, Diderot), ou humaniste (Montesquieu), ou personnelle (Rousseau). Mais, dans la tradition inaugurée par Montaigne, l'époque n'est pas encore à l'exotisme; il s'agit davantage de dégager les constantes, les traits communs de la nature humaine.

▪ La tradition du voyage en Orient et la critique de l'Europe

Il faut attendre Chateaubriand pour que l'Amérique et l'Orient revêtent des charmes qui, jusqu'alors, influençaient surtout la mode de l'indienne et de l'ameublement.

Ainsi, **le voyage dans l'espace se fait aussi remontée dans le temps**. Dans la première moitié du XIXe siècle, l'intérêt se porte vers l'Égypte et la Syrie – donc, l'Orient s'identifie encore au Moyen-Orient. Citons encore *Salammbô* de Flaubert, *Les Filles du feu* de Nerval et, plus encore, Rimbaud, qui crut faire fortune en Abyssinie et dont le « bateau ivre » prémonitoire faisait déjà éclater sa coque dans sa quête de l'inconnu.

Puis, c'est l'Asie qui attire les hommes de lettres français, comme Pierre Loti (*Madame Chrysanthème*, 1887 ; *Un pèlerin d'Angkor*, 1912). C'est le temps de la bonne conscience coloniale. En 1869, après le percement du canal de Suez, la France développe sa politique coloniale, en Chine et en Indochine. L'Orient mythique se distingue alors du Levant et l'horizon semble s'élargir. Le Proche-Orient est de plus en plus évincé par l'Extrême-Orient qui devient le terrain des aventures coloniales et entre dans la littérature. Trois grands espaces asiatiques se dessinent pour les Occidentaux : l'Inde, Ceylan et la Malaisie ; la Chine et le Japon ; l'Indochine française.

Le tournant du XIXe au XXe siècle se caractérise par la **multiplication des poètes-voyageurs** – comme Supervielle, Paul Claudel, consul de France en Chine (1895 : premier départ), Saint-John Perse (secrétaire d'ambassade à la Légation française de Pékin en 1916), Victor Segalen (médecin de marine, il part pour Pékin comme élève-interprète en 1909), Cendrars, etc. André Malraux, au cours des années vingt-trente, donne son cycle d'Asie – *Les Conquérants*, *La Voie royale* et *La Condition humaine*, prix Goncourt 1933, tout comme le roman d'Henri Fauconnier, *Malaisie* (1930).

Les écrivains exploitent le goût de l'aventure et de l'exotisme, comme Paul Morand (*Rien que la terre*, 1926 ; *Bouddha vivant*, 1927). Ces hommes de lettres célèbrent leurs noces avec les éléments. Pour eux, le voyage, et notamment le départ vers l'Asie, s'imposait comme un moyen de rompre avec un monde ressenti comme insuffisant.

■ La critique de l'exotisme

Au début du XXe siècle, Victor Segalen commence à faire entendre une autre appréciation de la réalité que celle prônée par l'exotisme à la mode. Il donne, comme sous-titre, à *Équipée*, qui relate son voyage en Chine (entrepris en 1914), « Voyage au pays du réel ». On doit à ce grand voyageur un *Essai sur l'exotisme* où il définit l'exotisme comme une « *esthétique du divers* ». L'exotisme, en effet, se définit à la fois par rapport à sa situation dans l'espace et dans le temps : « Définition du préfixe Exo dans sa plus grande généralisation possible. Tout ce qui est "en dehors" de l'ensemble de nos faits de conscience actuels, quotidiens, tout ce qui n'est pas notre "Tonalité mentale" coutumière. [...] Et en arriver très vite à définir, à poser **la sensation d'Exotisme : qui n'est autre que la notion du différent**; la perception du Divers; la connaissance que quelque chose n'est pas soi-même; et le pouvoir d'exotisme, qui n'est que le pouvoir de concevoir autre. »

En 1930-1931, Michaux (1899-1984) voyage, lui aussi, en Asie. *Un barbare en Asie* date de 1933 et transcrit cette expérience qui, sur le moment, s'impose comme un éblouissement. Il croit avoir trouvé ce qu'il recherchait depuis longtemps. Le livre ouvre aussi la voie à de multiples remises en cause personnelles. Cette fois-ci, l'Occidental n'est plus censé apporter la civilisation : il est ce barbare, incapable de franchir les frontières de sa propre culture. Cependant, **seule l'expérience des limites permet de mieux cerner le moi**.

4 - LES HÉRITIERS DE BAUDELAIRE

■ Rimbaud l'intransigeant

Continuateur du Baudelaire des paradis artificiels, Rimbaud radicalise son expérience du vertige pour mieux aller jusqu'aux limites extrêmes de son moi. Il se fait voyant, pratique l'alchimie du verbe et conçoit l'écriture poétique comme un moyen de réinventer la vie. Dans une lettre fameuse à Izambard, 13 mai 1871, qui fut son professeur, Rimbaud rejette la poésie subjective, qui recherche la beauté dans un monde idéal et se nourrit de formes poétiques stéréotypées. **Il n'y a pas d'autre monde que le nôtre** et la poésie, objective, évoquera tout ce qui existe. Deux jours plus tard, dans une missive à Paul Demeny, 15 mai 1871, Rimbaud exprime sa **révolte contre l'ordre établi** : il rejette les habitudes, la faiblesse des esprits qui se conforment aux normes et perdent tout esprit critique. Il dénonce l'égocentrisme des poètes imbus d'eux-mêmes et de leur art, sourds aux besoins profonds de l'homme. La poésie ne peut pas se réduire à un exercice de style mais elle ne saurait, non plus, avoir une quelconque efficacité contre un ordre social tout puissant (on se rappelle la guerre de 1870 et la Commune).

Rimbaud explore des territoires inconnus. Il faut retrouver l'énergie primitive pour se faire « voleur de feu ». **Devenu « voyant »**, il retourne son regard sur lui-même, sur son propre mystère car « **Je est un autre** ». Le poète est un prophète qui trouve son inspiration dans le « dérèglement systématique » des sens ; il pressent l'évolution future et il apporte la parole, le verbe magique. Il élabore un langage symbolique qui saura aller vers l'universel, au-delà du sens apparent. **Trésor esthétique et imaginaire de l'humanité, la poésie sauvera l'homme du matérialisme**.

Rimbaud et son ami Verlaine appartiennent à ce qu'il est convenu d'appeler le **symbolisme** : comme Baudelaire, ils rejettent **le positivisme et le réalisme**. Il s'agit moins d'un mouvement, doté d'une doctrine particulière, que de poètes exploitant le pouvoir symbolique des images – entre **les excès romantiques** et le lyrisme échevelé. Le symbolisme revendique la subjectivité et se fonde sur la conviction absolue qu'il existe une réalité supérieure. Baudelaire disait : « Certes je sortirai quant à moi satisfait d'un monde où l'action est la sœur du rêve. » **Mallarmé**, poète symboliste, affirme : « Abreuve-toi d'idéal, le bonheur ici-bas est ignoble. » Il avance une nouvelle définition du symbole : « **Nommer un objet, c'est supprimer les trois quarts de la jouissance du poème qui est faite du bonheur de devenir peu à peu ; le suggérer, voilà le rêve**. C'est le parfait usage de ce mystère qui constitue le symbole : évoquer petit à petit un objet pour montrer un état d'âme, ou, inversement, choisir un objet et en dégager un état d'âme, par une série de déchiffrements. »

■ Valéry et la conscience lucide

Dans la continuité de Baudelaire, Valéry se prononce en faveur de la maîtrise de l'art. « J'aimerais mieux écrire en toute conscience et dans une entière lucidité quelque chose de faible, que d'enfanter, à la faveur d'une transe et hors de moi-même, un chef-d'œuvre d'entre les plus beaux. » La poésie vise le plus de conscience possible : elle donne conscience de ce qui est caché à la pensée quotidienne : la grâce d'une création spontanée renvoie à l'idée qui préexiste au poème mais l'auteur décide consciemment d'écrire.

Ensuite, sa conscience le guide en vertu de l'exigence de la plus grande pureté. **La poésie est un système pur parce que conscient de lui-même et de son autonomie** : la genèse du poème lui est extérieure, mais l'effet poétique s'obtient de manière systématique. Cependant, Valéry affirme aussi : « Mes poèmes ont le sens qu'on leur prête. » Comme Baudelaire, il assigne à la poésie la fonction d'engendrer son propre système ; à l'inverse, il critique le roman, qui prétend renvoyer à une réalité extérieure à la fiction.

■ Le surréalisme et la quête de la totalité

« Pape » du surréalisme, André Breton se réclame du romantisme noir de Hugo, Nerval, Lautréamont, Rimbaud. Le symbolisme a joué un rôle important dans la formation des surréalistes. En effet, **Baudelaire** confère à la poésie une profondeur mystique. Comme lui, **les surréalistes se fondent sur la perception de correspondances entre le visible et l'invisible** dont ils s'efforcent de capter et traduire les messages cryptés. Ils postulent l'existence d'un double niveau de réalité car la surréalité ne s'identifie pas du tout à l'imaginaire : contrairement à ce que l'on imagine trop souvent, elle réunit le réel et l'irréalité ; elle vise une totalité.

Mais, optimistes et révoltés, ils jugent **Baudelaire trop timoré** et imaginent pouvoir dépasser sa quête d'une perfection formelle en pratiquant une écriture automatique – autrement dit en écrivant sans contrainte, sous la dictée de l'inconscient, afin de capter les messages de l'imaginaire.

Pour Breton, **la poésie dévoile le mécanisme de la pensée, elle restitue les richesses** dont nous a privé la censure morale bourgeoise. « Surréalisme, nom masculin, automatisme psychique par lequel on se propose d'expliquer le fonctionnement réel de la pensée » (*Manifeste du surréalisme*, 1924). Breton pratique un non-conformisme absolu ; il refuse l'abstraction et la discipline d'un parti politique. Son exigence de pureté précipite son évolution vers l'occultisme dans les années quarante. Mais le surréalisme a constitué une révolution esthétique, contre les manières habituelles de penser, pour tenter de résoudre le problème de la destinée et de l'harmonie homme - univers. Il visait à libérer le monde par l'image, par la prolifération imaginaire, et imaginait possible de ne pas s'assujettir à une idéologie quelconque ; l'adhésion d'Aragon et d'Eluard au parti communiste démentit cet espoir sans doute utopique.

5

ANNEXES

1 - L'ACCUEIL DE LA CRITIQUE

Dès 1855, la *Revue des Deux Mondes* publie dix-huit poèmes sous le titre : *Les Fleurs du mal* (*cf.* pp. 29-31). Un avertissement précise, avec prudence, la position de l'éditeur :

> « Ce qui nous paraît ici mériter l'intérêt, c'est **l'expression vive et curieuse même dans sa violence de quelques défaillances, de quelque douleurs morales** que, sans les partager ni les discuter, on doit tenir à connaître comme un des signes de notre temps. »

Pourquoi présenter ces pièces, avec tant de circonspection, comme un audacieux témoignage d'une époque ? Les temps étaient déjà à l'ordre moral, et la censure s'exerçait avec vigueur dans le monde de la presse : **tous les articles étaient soumis à la formalité du visa**. Les frères Goncourt furent poursuivis (1853), puis acquittés et blâmés ; Flaubert fut traduit en justice pour avoir écrit *Madame Bovary* (1857). C'est dans un tel contexte que paraît le recueil définitif, *Les Fleurs du mal* le 21 juin 1857. Avec quelque légèreté quand on y songe à présent, Baudelaire et son éditeur, Poulet-Malassis, croyaient, néanmoins, retirer succès et fortune de la parution des *Fleurs du mal*... Il est vrai que certaines pièces étaient déjà parues dans la presse sans avoir ému outre mesure l'opinion.

▪ Un procès d'origine politique ?

L'attaque de la critique ne se fait pas attendre puisque, dès le 4 juillet, le bruit court de la saisie des *Fleurs du mal*. Le lendemain, Gustave Bourdin fait paraître, dans *Le Figaro*, dirigé par son beau-père, un court article rempli de componction fielleuse : il blâme l'inspiration et incrimine la publication de certains poèmes. Baudelaire soupçonne, d'emblée, dans cet éreintement, l'influence souterraine du ministre de l'Intérieur, Billaut ; ce dernier avait des liens avec *Le Figaro* et, par le truchement de ce journal, il aurait surtout voulu se venger de l'acquittement de Flaubert et de ses partisans. Or, comme le remarque Ernest Raynaud, dans la préface aux *Fleurs du mal* parue aux éditions Garnier, **Billaut** aurait eu vent du plaidoyer favorable à Baudelaire qu'allait faire paraître Édouard Thierry dans *Le Moniteur*, journal officiel de l'Empire, avec l'accord du ministre d'État **Achille Fould**, en relation avec la famille Aupick. En effet, le 14 juillet paraît, dans *Le Moniteur*, la défense menée par Thierry.

Comme lui, Jules Laforgue aussi jugera, plus tard, que Baudelaire s'est raconté dans son œuvre « sur un ton modéré de confessionnal ».

L'article de Thierry irrite le ministre de la Justice, M. Abbatucci, qui accuse *Le Moniteur* d'entraver la marche de la justice et fait cause commune avec Billaut l'irascible. Ainsi, la presse servait les intérêts vengeurs d'un ministre dépité et **le procès fait aux *Fleurs du mal* trouve son origine dans des manigances politiciennes**...

Dès le 7 juillet, un rapport de la Direction générale de la sûreté publique (ministère de l'Intérieur) dénonçait les poèmes suivants : « Le reniement de saint Pierre », « Abel et Caïn », « Les litanies de Satan », « Le vin de l'assassin », « Femmes damnées », « Les métamorphoses du vampire », et « Les bijoux ». La Direction de la sûreté saisit aussitôt le parquet au sujet des six dernières pièces que nous venons de citer. Baudelaire est accusé d'attenter à la fois à la morale religieuse et à la morale publique. Le 17 juillet, le procureur général requiert une information contre l'auteur et l'éditeur des *Fleurs du mal.* Il ordonne une saisie des exemplaires en vente.

▪ Le procès des *Fleurs du mal*

Baudelaire choisit un avocat, Chaix d'Est-Ange, et lui demande de dénoncer la partialité d'une justice qui laisse passer des textes licencieux rédigés par Lamartine ou Bérenger. Le poète cherche à se concilier des appuis auprès de ses amis pour contrer les attaques prévisibles du président du tribunal, Dupaty, et du procureur impérial Pinard – de sinistre mémoire puisqu'il rédigea le réquisitoire de *Madame Bovary.*

Le procès se déroule le 20 août 1857 devant la sixième chambre de police correctionnelle du tribunal de la Seine. Le tribunal ne retient pas l'atteinte à la morale religieuse mais condamne Baudelaire et Poulet-Malassis, pour **outrage à la morale publique et aux bonnes moeurs**, à supprimer six pièces des *Fleurs du mal* et à payer une amende. Le poète songe à faire appel mais renonce à ce projet pour bénéficier de l'annulation de l'amende. Quoi qu'il en soit, ce jugement ridiculise la justice de l'Empire aux yeux de la postérité.

▪ L'accueil immédiat de l'œuvre

Baudelaire a constitué lui-même un dossier où il a réuni différentes pièces devant servir à sa défense ; outre l'éloge de Thierry dont nous venons de parler, il retient la critique de Frédéric Dulamon, parue dans *Le Présent* du 23 juillet 1857, l'article de Barbey d'Aurevilly du 24 juillet et celui que Charles Asselineau aurait voulu faire paraître dans la *Revue française.*

Frédéric Dulamon énumère, pour mieux en minimiser l'immoralité, les sujets des *Fleurs du mal.* Barbey d'Aurevilly sous-estime la valeur et la portée des *Fleurs du mal* en faisant de Baudelaire un poète qui force le trait pour mieux produire « *un drame anonyme dont il est l'acteur universel* ». Avec une platitude peut-être maniée à dessein (?), il tente d'édulcorer l'originalité de l'œuvre en faisant de Baudelaire un rhétoricien soucieux de perfection formelle et en le présentant comme un émule de certains grands auteurs, comme l'Allemand Goethe, l'Anglais Shelley et, surtout, l'Italien Dante.

L'article d'Asselineau, ami de l'auteur, manque un peu de nervosité, d'esprit de synthèse ; mais il rend hommage à Baudelaire dont la poésie, « profondément imagée, vivace et vivante, possède à un **haut degré ces qualités d'intensité et de spontanéité qu['il] demande au poète moderne** ». Pour lui, l'auteur des *Fleurs du mal* « excelle surtout » « à donner une réalité vivante et brillante aux pensées, à matérialiser, à **dramatiser l'abstraction** ». En fait, les contemporains de Baudelaire ne comprirent pas vraiment son œuvre. Sainte-Beuve la considérait comme l'expression décadente d'un désœuvrement d'oisif blasé. Gautier insiste sur le caractère pathologique et morbide des *Fleurs du mal.*

■ Baudelaire et Hugo

Dès le 30 août 1857, Victor Hugo écrit à Baudelaire de Guernesey, où il s'est exilé : « J'ai reçu, Monsieur, votre lettre et votre livre. L'art est comme l'azur ; c'est le champ infini : vous venez de le prouver. **Vos *Fleurs du mal* rayonnent et éblouissent comme des étoiles**. Continuez. Je crie bravo de toutes mes forces à **votre vigoureux esprit**. » Ainsi, Hugo insiste sur **l'énergie poétique** que dégagent *Les Fleurs du mal*. Dans un autre courrier, du 6 octobre 1859, Hugo rend hommage à Baudelaire et emploie une expression demeurée fameuse dans l'univers des lettres : « Vous dotez le ciel de l'art d'on ne sait quel rayon macabre. Vous créez un frisson nouveau. »

■ Échos de l'œuvre au XXe siècle

Sartre a écrit un essai sur Baudelaire, qui trahit sa propre identification à l'auteur des *Fleurs du mal* mais qui n'en possède pas moins une pertinence certaine. Nous donnons ci-dessous un florilège de citations révélatrices de cette analyse, très stimulante, car elle se moque de toutes les idées préconçues sur le poète et renouvelle la critique.

• Le désir d'être coupable : « Il y a toujours en lui les éléments d'une mauvaise conscience et comme un sentiment de culpabilité. **Il ne veut ni détruire ni dépasser mais seulement se dresser contre l'ordre**. Plus il l'attaque, plus il le respecte obscurément ; les droits qu'il conteste au grand jour, il les conserve dans le plus profond de son cœur : s'ils venaient à disparaître, sa raison d'être et sa justification disparaîtraient avec eux. »

• La solitude : « **La solitude, telle qu'il la conçoit, est donc une fonction sociale** : le paria est mis au ban de la société, mais précisément parce qu'il est l'objet d'un acte social, sa solitude est consacrée, il est même nécessaire au bon fonctionnement des institutions. »

• Le bien et le mal : « Mais **la création délibérée du Mal, c'est-à-dire la faute, est acceptation et reconnaissance du Bien**. »

• La femme : « **La femme froide est une incarnation sexuelle du juge** [...]. » « [...] cette frigidité tant recherchée mime la sévérité glacée de la mère qui surprend l'enfant en train de "faire une sottise". » « En même temps, la frigidité de la femme aimée spiritualise les désirs de Baudelaire et les transforme en "voluptés". »

Roger Kempf présente Baudelaire comme un dandy qui voue une **absolue détestation à la vulgarité**. Mais son aspiration à l'originalité se double d'une recherche de pères spirituels, ou artistes, de substitution : « Je dirai donc du dandy [...] qu'il n'est pas **misogyne mais spernogyne** (du latin *spernere*, mépriser). [...] Le dandy n'a que mépris pour l'établissement conjugal. »

2 - LEXIQUE

Pour les termes définis au cours de l'ouvrage, nous renvoyons à la bonne page.

A

Allégorie : *cf.* p. 55.

Anaphore : *cf.* p. 50.

Allitération : retour du même son consonantique.

Assonance : retour du même son vocalique.

C

Césure : point de séparation des hémistiches (*cf.* ce mot); on la note par deux traits inclinés : //.

Comparaison : *cf.* p. 51.

Coupe : point de séparation des mesures rythmiques dans un vers – à la différence de la césure, elle ne marque pas une accentuation structurelle; on la note par un trait incliné : /.

D

Diérèse : prononciation distincte de deux voyelles en contact, à des fins expressives; ex. :
« Va te purifi-er dans l'air supéri-eur ».
« L'opi-um agrandit // ce qui n'a pas de bornes ».

E

Emblème : *cf.* p. 56.

F

Formule gnomique : *cf.* p. 50.

H

Hémistiche : portion fortement accentuée d'un vers comptant un nombre pair de syllabes; ex. :
« Voici venir / les temps // où vibrant / sur sa tige ».

M

Métaphore : *cf.* p. 51.

O

Oxymore : *cf.* p. 51.

P

Pantoum : originaire de Malaisie, le pantoum témoigne de la mode de l'Orient qui séduit les contemporains de Baudelaire, attirés par l'exotisme et le caractère initiatique d'un voyage dans ces contrées. Cette forme fixe se compose de quatrains en nombre illimité; elle repose sur une contrainte : deux thématiques doivent se développer en parallèle. Donc, les vers pairs du premier quatrain deviennent les vers impairs du deuxième; le vers initial revient en finale. Enfin, les rimes sont croisées. « Harmonie du soir » n'est pas un pantoum régulier car Baudelaire ne s'estime jamais contraint à s'imposer des règles strictement formelles.

R

Rime : retour de la même voyelle (ou homophonie) accentuée en fin de vers ; plus il y a de sons identiques à gauche de la voyelle accentuée, plus la rime est « riche ». Il existe des rimes internes.

S

Sonnet : au XVIe siècle, les sonnets amoureux de Pétrarque (1304-1374) ont fasciné les poètes de la Renaissance. Cette forme est très en vogue jusqu'au XVIIe siècle, elle décline au siècle suivant pour revenir en force grâce à Baudelaire, puis aux parnassiens et aux symbolistes. Un sonnet régulier comprend quatorze vers, en général l'alexandrin, mais ce n'est pas obligatoire. Ils sont disposés en deux quatrains et deux tercets. La disposition des rimes varie suivant le principe à l'italienne (abba abba ccd eed) ou à la française (ccd ede). Le dernier vers, le plus souvent frappant, est appelé aussi « chute ».

Spleen : *cf.* p. 73 et suiv.

Strophe : « groupement d'une série de vers selon une disposition déterminée des homophonies finales et (si les vers sont de types différents) des mètres » (Mazaleyrat, *Éléments de métrique française*, Armand Colin, « U 2 »).

Syllepse : jeu sur le sens propre et le sens figuré d'un même mot.

Synecdoque : *cf.* p. 64.

Synesthésie : *cf.* p. 50.

3 - ORIENTATION BIBLIOGRAPHIQUE

■ Les indispensables : l'œuvre de Baudelaire

• En collection de poche : *Les Fleurs du mal*, *Petits Poèmes en prose*, *Les Paradis artificiels*, *Fusées*, *Mon cœur mis à nu*, *La Belgique déshabillée*, *L'Art romantique*.

• Une édition critique de bonne qualité mais un peu plus onéreuse : *Les Fleurs du mal* présentées par Antoine ADAM, éditions Garnier.

• Deux éditions complètes (ou presque pour ce qui est de la correspondance) à un prix très raisonnable : celle de Michel JAMET, Robert LAFFONT, coll. « Bouquins » ; celle de M. A. RUFF, Éditions du Seuil, coll. « L'Intégrale ».

• Consulter en bibliothèque l'excellente édition des *Œuvres complètes* de Baudelaire par Claude PICHOIS, qui en a rédigé la préface, les notices et les notes, Gallimard, « Pléiade ». *Les Fleurs du mal* se trouvent dans le tome I ; n'omettez pas de consulter le volume consacré à la correspondance de Baudelaire.

■ Études critiques à consulter en priorité

• Walter BENJAMIN, *Charles Baudelaire*, Petite Bibliothèque Payot, 1955.

• Georges BLIN, *Baudelaire*, Gallimard, 1939.

• Pierre Jean JOUVE, *Tombeau de Baudelaire*, Éditions du Seuil, 1958 : étude éclairante destinée à faire « tomber les masques » de Baudelaire.

• Marcel RUFF, *Baudelaire, l'homme et l'œuvre*, Hatier, 1955 ; nouvelle édition en collection « Connaissance des Lettres », 1966.

• Jean-Paul SARTRE, *Baudelaire*, Gallimard, 1947 – existe en collection de poche, « Folio ».

• Jérôme THÉLOT, *Baudelaire, Violence et poésie*, NRF Gallimard, « Bibliothèque des idées », 1993.

■ Si vous disposez de temps...

• Pascal PIA, *Baudelaire par lui-même*, Éditions du Seuil, « Les écrivains de toujours », 1952.

• Marcel PROUST, « À propos de Baudelaire », dans *Essais et articles*, Gallimard, « Pléiade », 1971.

• Revue *Europe*, n° 760-761, août-sept. 1992.

■ Enregistrements

Rappelez-vous qu'on ne lit pas une œuvre poétique sans respecter le rythme des vers en soulignant les diérèses et en faisant les liaisons. Essayez d'écouter les enregistrements des poèmes de Baudelaire qu'ont réalisés des professionnels.

Voici quelques références : Jean-Louis Barrault, chez Vega, « Les poètes maudits » – Alain Cuny, Club français du disque – Henri Rolland, Pléiade – Serge Reggiani, Polydor – Pierre Blanchar, Encyclopédie sonore Hachette, etc.

Quelques chanteurs, et non des moindres, ont chanté des poèmes de Baudelaire : **Léo Ferré**, Barclay – Gainsbourg, Philips – Robert Charlebois, RCA.

Imprimé en France par I.M.E. - 25110 Baume-les-Dames
Dépôt légal : décembre 2002
N° d'imprimeur : 16487
7010016/03